CHAOJI CHENGZHANG BAN

MAOXIAN
XIAOHUDUI

**超级成长版**

冒险小虎队

# 来自亡者的信件

MAOXIAN XIAOHUDUI

[奥地利] 托马斯·布热齐纳 著
维尔纳·埃曼 罗尔夫·布恩斯 插图
葛 放 译

浙江少年儿童出版社

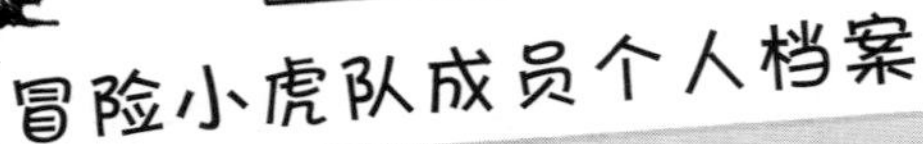


**名:**路克(路卡斯) **姓:**坎平斯基

**年龄:**11岁
**生日:**2月1日
**发色:**稻草金
**眼睛颜色:**蓝中带绿
**个人特点:**身边总带着百宝箱

**我喜欢**

**食物:**汉堡加薯条
**饮料:**柠檬可乐
**颜色:**绿色
**动物:**狐狸
**音乐:**只要是我能跟着哼哼的音乐我都喜欢
**课程:**物理,数学
**业余爱好:**遥控模型(曾制作了一台会走的冰箱)

**我讨厌**

思路中断,整洁(我很少有井井有条的时候),为达到目的无所不为的人和自以为无所不知的人

**梦想的职业:**发明家
**最大的愿望:**拥有一台和我爸爸那台一样好的电脑

## 冒险小虎队成员个人档案

**名:** 碧吉　　**姓:** 波尔格

**年龄:** 12 岁
**生日:** 6 月 12 日
**发色:** 金黄色
**眼睛颜色:** 海水蓝
**个人特点:** 身边总带着吃的东西

### 我喜欢

**食物:** 榛子巧克力
**饮料:** 热带水果饮料
**颜色:** 橙色
**动物:** 美洲驼
**音乐:** 摇滚乐
**课程:** 生物
**业余爱好:** 收藏,写日记

### 我讨厌

萎靡不振的男孩,老说废话的人,家庭作业,太短的假期,无视我的大人

**梦想的职业:** 兽医或飞行员
**最大的愿望:** 有一匹属于自己的马

## 冒险小虎队成员个人档案

**名:**帕特里克　**姓:**施泰因布伦纳

**年龄:**12岁
**生日:**7月28日
**发色:**黑
**眼睛颜色:**典型的深棕色
**个人特点:**总是穿着运动服

**我喜欢**
**食物:**比萨饼
**饮料:**冰茶
**颜色:**蓝色
**动物:**我的小兔子班尼
**音乐:**一种节奏较快较强的电子音乐
**课程:**课间休息
**业余爱好:**各种体育运动

**我讨厌**
考试,不光明正大的人,愚蠢的人,坐火车,穿着太紧并使皮肤发痒的漂亮衣服

**梦想的职业:**特技演员
**最大的愿望:**跳伞

欢迎你成为第四只小虎
请你也介绍一下自己

名：

姓：

年龄：

生日：

发色：

眼睛颜色：

个人特点：

贴上
你的照片

**我喜欢**

食物：

饮料：

颜色：

动物：

音乐：

课程：

业余爱好：

**我讨厌**

梦想的职业：

最大的愿望：

## 来自亡者的信件

好，第四只小虎，你马上就要进入破案现场了，准备一下吧！请你先熟悉一下你手中的破案工具——多功能特种解密卡。

### 功能1·小虎解密卡

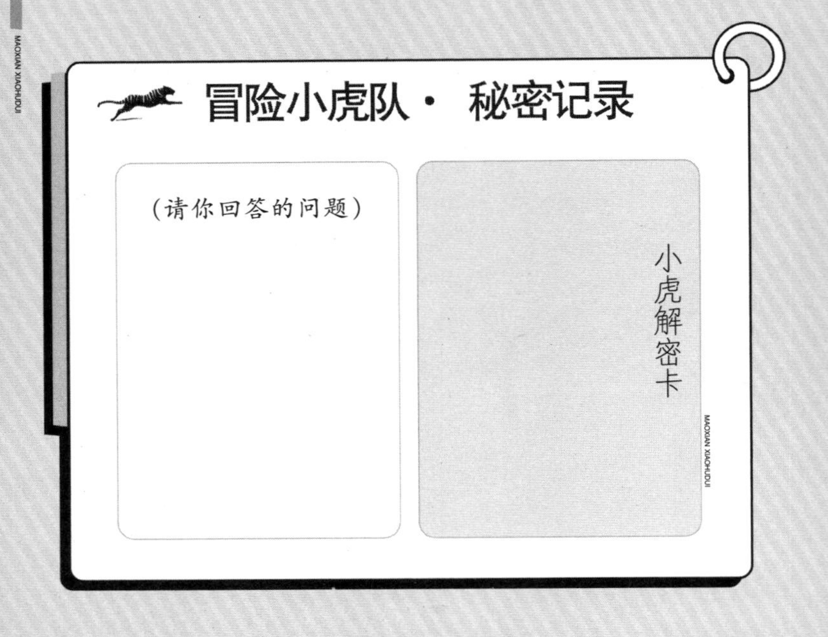

在"请你回答的问题"中，所有的答案都被加密了。你必须把小虎解密卡平放在灰色的区块上，并缓缓地转动，直到你看清文字为止。

## 功能 2·暗语破译卡

小虎队员留下暗语时，你需要使用暗语破译卡进行破译。

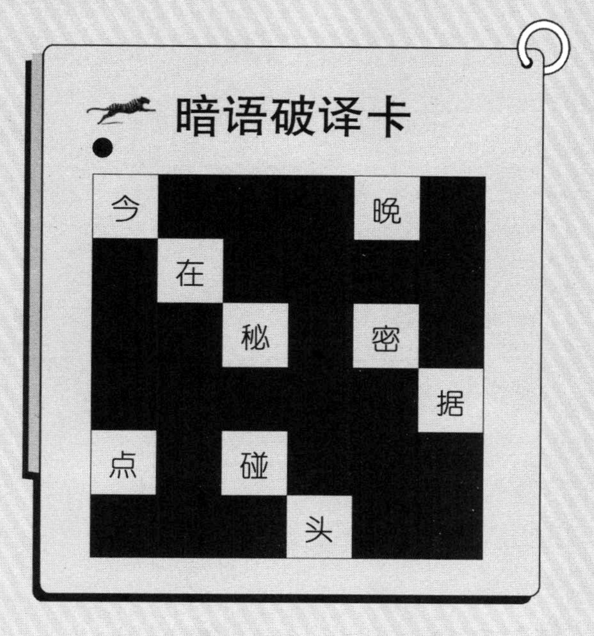




1. 将卡片平放在暗语上，使卡片左上角的圆圈对准暗语左上角的圆点，这时你能够从方格中

看到文字，这就是暗语的第一部分。

2. 将卡片沿顺时针方向旋转 90 度，使卡片上的圆圈对准暗语右上角的圆点，这时你从方格中看到的文字是暗语的第二部分。

3. 继续将卡片沿顺时针方向旋转 90 度，使卡片上的圆圈对准暗语右下角的圆点，你又能看到文字了。

4. 最后再将卡片沿顺时针方向旋转一次，使卡片上的圆圈对准暗语左下角的圆点，你看到的是暗语的最后一部分。



## 功能3·定位搜索卡

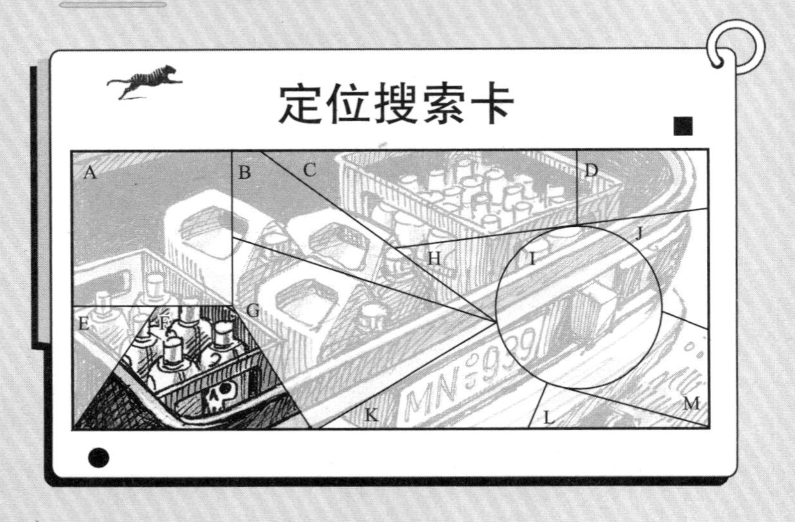

将定位搜索卡平放在插图上，使卡片上的圆孔对准插图上的圆点，卡片上的方孔对准插图上的方点，这样就能把你要搜索的目标准确定位在某个区域了。

**记住：**每答对一题，就给自己记1分，并将最终得分填在书末的破案成绩卡上。

**现在请你进入破案现场！**

# 目录 mulu

超级成长版

冒险小虎队(长篇小说)

# 来自亡者的信件

MAOXIAN
XIAOHUDUI

# 夜半歌声

狂风摇拽着树枝，似乎欲将嫩绿的树叶撕扯下来。六月的夜晚是那么的寒冷，一点也不舒服。

弗莱德利克·翰姆朴珥翻起衣领，耸着肩胛，快步穿过寂静的街道。时间已近午夜，因而路上既见不到行人，也没有车辆。

弗莱德利克终于来到了他居住的那条小巷前。他正想拐入小巷，忽然听到身后有些响声。他吃

惊地停下脚步，侧耳细听。

一阵手摇风琴的声音自远及近地传来，有人跟在他的身后，弹奏着幽怨的乐曲。那是一首歌曲的曲调，弗莱德利克非常熟悉，情不自禁地和着曲调低声哼唱起来。

每一次我到来，你却偏偏离开。

你都悄然而逝，好像不曾存在。

你就好好记住，什么怪事会来。

弗莱德利克的心底升起一丝寒意。他呆了几秒钟，终于下了决心，扭头朝身后望去。

乳白色的路灯下，有一个孤零零的身影。那人怀抱一件长长的乐器，左手转动着一个手柄，右手弹着琴键。那哀怨的音乐就是用这件乐器弹奏出来的。

弗莱德利克感到越发害怕了，开始大口大口地喘气。那个陌生人将软帽的帽檐拉得很低，盖住了大半个脸，身上穿着一件破旧的长风衣和及膝束腿裤，脚上的鞋看上去十分笨重。

弗莱德利克突然感到一阵眩晕，不得不用手抓住路灯灯柱。

那男人在他面前用沙哑的声音唱歌似的朝他高声叫喊着："每一次我到来，你却偏偏离开。"之后，他不再转动风琴手柄，而是将手指从键盘上拿开，音乐声就一下子中断了。他微微地鞠了个躬，后退了一步，然后消失在了夜幕中。

弗莱德利克心跳加速，他能感觉到心脏在剧烈地撞击着胸前肋骨。

赶快回家！这是他此时唯一的念头。

当他把手从灯柱上拿开的时候，他发现手指间粘着一张小纸条。弗莱德利克试图用力甩掉它，但没有成功。他弯着腰，沿着墙脚快速地奔向24号。直到反身将门关上，他才长舒了一口气。在前厅的灯光下，他举起手掌，想看看小纸条上面写着什么。

纸条上印着下面一些字：

冒险小虎队

能找到迷路的小狗，保护你们的家，承接谜一般的案件！

下面写着一个电话号码。

稍作思考后，弗莱德利克走进了书房。靠墙的书架上塞满了书和曲谱，快堆到了天花板上。他在写字台上的一大堆乱糟糟的纸张中翻找，终于找出了一部黑色的电话机。拨动号码时,他的手指有些颤抖。

电话线的那头发出“咔嚓”一声,接着响起了一个男孩的说话声——那是电话录音:

“我是冒险小虎队的路克。请您在听到提示音后给我留言。您的留言将被录入声讯信箱。如有急事,请按号码键7,连续按七遍。”

弗莱德利克没有多想,马上连续按了七遍号码键7。这一次,那个男孩终于亲自来接电话了。

“嗨,我是冒险小虎队的路克·坎平斯基。”

该说什么呢?弗莱德利克犹豫起来。

“喂?”那男孩催促了一声。

弗莱德利克临时改变了主意,准备挂断电话。就在这时,从关闭的窗户外又重新传来了幽怨的乐曲声。那个带软帽的男人出现在花园里的樱桃树下。过了一会儿,音乐没了,那个男人也消失了。

“喂……”电话听筒里传来的声音有些不耐烦了。

“明天下午三点,在牙疼的上帝前见面,到时候我会把详细情况说给你听。”弗莱德利克急匆匆地说。

窗玻璃发出“咯咯”的响声。弗莱德利克瞪大双眼,吃惊地注视着窗外那只敲打窗玻璃的手。那只手呈灰色,瘦骨嶙峋的,指节骨显得格外突兀。他大叫一声,电话听筒随之从手中脱落。

“喂,发生什么事了?您快说话呀?”路克一再地催问着。回答他的是渐渐远去的脚步声和关门的声音。

路克虽然看不见打电话的人出了什么事情,但他竭力用耳朵捕捉到了一些信息。

大约停顿了两分钟以后,电话那头

响起了吼叫般的歌声，而且越来越近。路克不得不把手机从耳边拿开，因为那歌声实在太刺耳。最终，电话被挂断了。

这件事实在蹊跷，会不会意味着一桩神秘案件？路克拿起手机按了一个键，手机就自动拨通了小虎队友碧吉的手机号码。

路克拨弄着眼镜架，开始向碧吉描述那个神秘来电。

“牙疼的上帝？”碧吉一边重复着，一边深思，“似乎有这样一个传说。”

碧吉听到了路克敲击键盘的“咔嗒”声。

“我从网页上找到了一幅‘牙疼的上帝’的摄影作品。”路克一字一顿地念着网页上的说明文字,“‘牙疼的上帝’是一尊塑像，位于通往普默林铜钟的楼梯附近的壁龛里。”

“我知道可以在哪里找到它了!”碧吉兴奋地说。

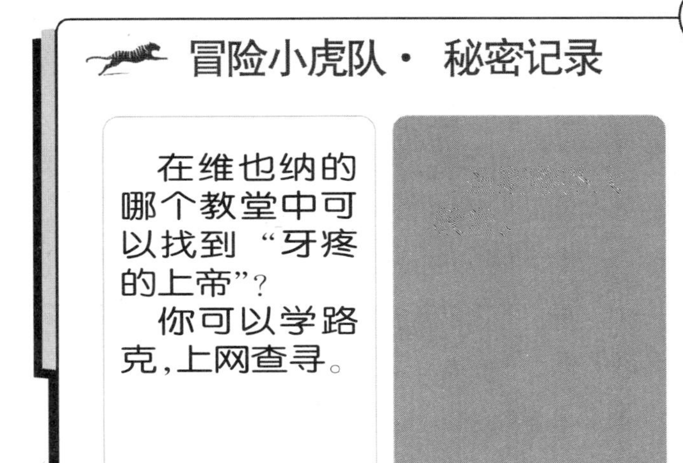

# “鬼魂”演奏家

第二天下午，碧吉与她的两个伙伴，路克和帕特里克，一起乘坐地铁来到了圣斯蒂芬大教堂前的广场，徒步向约会地点走去。

“这尊雕像的名字来源于一个传说。”碧吉边走边说，“很久以前，有一个小伙子开玩笑地对同伴说，这尊耶稣像看上去像是在犯牙疼，接着便用一块头巾把石像的头包了起来。小伙子的这一举动惹得大伙儿乐了好一阵子。可是，当这个年轻的小伙子回到家后，他的牙突然疼得不得了。当时不像现在，还没有牙医这一行呢。他似乎感悟到了什么，马上跌跌撞撞地返回教堂，揭去了盖在耶稣像上的头巾。神奇的是，他的牙疼马上就消失了。”

三只小虎朝着圣斯蒂芬大教堂高高的塔楼望去,塔楼像一个警示人们的手指,直指蓝天。两座略小的塔楼之间悬挂着被称之为维也纳小胖墩的普默林铜钟。

教堂的另一口钟敲响了:正好三点。三只小虎只比约定的时间稍微晚了几秒钟,他们找到了壁龛,那里面有一尊面带痛楚表情的耶稣雕像。

帕特里克用巡视的眼光看了看周围,没有发现有人在等他们。一些人提着物品匆匆而过,但没有一个人看上去像是来和冒险小虎队碰头的。

路克不得不向队友说明,打电话的人甚至连自己的名字都没有说。

“也许那是个爱开玩笑的人,发现我们张贴的纸条后专拿我们开玩笑来的。”碧吉很生气。

帕特里克也有点不高兴，他原本今天下午打算去参加足球队训练的，由于路克一再申明这可能是件真正稀奇古怪的事情，所以他才来的。

“是冒险小虎队吗？”有个人小心翼翼地问道。

三只小虎都没有注意到身后已有一个人跟了过来，他们一齐转过身，结果看见了一张消瘦苍白的脸，脸颊两边是一缕缕的红棕色头发，下巴上垂挂着长长的胡子，像是橙色的冰凌。

“是您在叫我们？”路克问道。

那人稍稍犹豫了一下，点了点头，尴尬地拉扯着身上紫色的丝绒上衣。他在上衣里面穿了一件草绿色的衬衫。

碧吉两眼直愣愣地盯着那个人的装束。

“我们先到鼠疫墓穴去。”那人提议。

帕特里克马上皱紧了眉头——墓

穴，鬼才会去呢！他感到心里发毛，对那人也不禁厌恶起来。

路克小声地向他解释说："那是大教

堂下面的一个堆放骨骸的房间。”

“您究竟是什么人?”碧吉大声地问了一句,以此来掩饰内心的胆怯。

那人的两条手臂下垂着,紧贴两边的裤缝,然后僵硬地向小虎队员弯下腰,就像一把折刀:“我是弗莱德利克·翰姆朴珥,作曲家。”

“我们能帮您做些什么呢?”路克的口气听上去非常像在谈生意。

弗莱德利克心神不安地看看左边,又看看右边,就好像有人在跟踪他一样。

“到下面的鼠疫墓穴去吧,那里比较安全。”

三只小虎同时摇了摇头,在他们看来,没有必要去那个令人害怕的地方。

弗莱德利克指了指圣斯蒂芬大教堂的塔楼,说:“那就到那上面去。你们没有意见吧?”

这个提议还是能让小虎们接受的。

弗莱德利克在前面急步走着，三只小虎跟着他爬上了三百四十三级台阶。对于帕特里克来说，爬楼梯就像是一场恰如其分的训练，而碧吉和路克却已经累得上气不接下气了。

站在塔楼上，视野开阔，风光无限，感觉棒极了。他们看到了一片屋顶的海洋。上面除了他们之外，还有一些日本游

客正忙于拍照。

三只小虎站到弗莱德利克所站的那扇小窗前，好奇而有所期盼地看着他。

“有关‘亲爱的奥古斯汀’的传说，你们听说过吗？”弗莱德利克用手指指着不远处的一尊雕像。

碧吉点点头。

弗莱德利克用双手做了一些动作，好像他要让“亲爱的奥古斯汀”显出身形来。

“他曾是古老维也纳的一个演奏家，弹着吉他唱歌，总是那么欢快。据说有一天夜晚，他掉进了一个矿井里，第

二天他又完好无损地走了出来。后来，有一首歌是专门歌唱他的。”弗莱德利克哼了一个音，而后高声唱了起来：“哦，亲爱的奥古斯汀，你不要再掉进去了。”

他看着小虎们，好像在期待他们的掌声。碧吉悄悄地对路克说：“这个人不是脑子有毛病，就是来自火星。他扯这些干什么？”

弗莱德利克·翰姆朴珥说到动情处，就像小孩那样地蹦了起来，高兴得直跺脚。一群来自日本的游客以为他正在表演一种独特的维也纳舞蹈，立即举起照相机拍摄。

帕特里克、路克和碧吉越来越觉得眼前的这位先生举止古怪。有话好好说，他为什么要这样跳来跳去呢？

碧吉毫不客气地向弗莱德利克指出，他的讲述中至少有三处错误：第一，“亲爱的奥古斯汀”弹的是手摇风琴而不是吉他；第二，他是掉进了一个鼠疫墓穴；第三；歌曲是这样唱的："哦，亲爱的奥古斯汀，一切都掉进去……"

"你的确熟知这个传说，而且看来还很精明！"弗莱德利克听完后非但不生气、不脸红，反而舒了一口气，放心地说，"我想，现在我可以把我的秘密告诉你们了：我被鬼魂缠上了。"

"他脑子里好像乱七八糟的，有点不对劲。"帕特里克在队友耳边嘀咕道。他越来越不耐烦，真想转身离开这儿。

弗莱德利克·翰姆朴珥拨弄着别在上衣领子上的四枚徽章，思考着该怎么同小虎们说。

碧吉认出

了徽章形状是大象、眼睛、钢琴和小尖椒。

“我把这件事告诉你们,是因为你们总是承接神秘案件。”

路克认同地点点头。这的确是冒险小虎队的专长。

“我收到了一封信,那是一封让人寝食难安的来信,因为写信人七年前就已经去世了;不仅如此,昨天晚上我还受到了他的鬼魂的警告。”

说话间,一只飞鸟用力扑扇着翅膀俯冲下来,降落在塔楼的窗台前,把碧吉吓了一跳。

“老鹰!”路克惊叫道,他从未想到会在市中心看见老鹰。

弗莱德利克·翰姆朴珥笑了笑,说:“这里的残垣断壁中有许多田鼠。这座教堂是许多动物的家,比如鼬,但主要是田鼠。”随即他两眼看着小虎们,把话转入正题。

“既然现在我们已经认识了，那么，我想请你们去看看闹鬼的地方，就是我住的房子。”他说出了地址。

那地方离路克的住所不远。三只小虎决定第二天去看看。

他们走下塔楼后互相告别。帕特里克去踢足球了，碧吉和路克则朝地铁站的方向走去。

在圣斯蒂芬大教堂前的广场上，众多街头艺术家正展示着他们的才艺。

一个从头到脚被涂成古铜色的女子像被石化了一样纹丝不动地矗立着，一眼看去就像一座雕塑。但如果有人在她面前的盆子里投入一枚硬币，她便做出一个表示感谢的动作。

离开她几步远的地方，木偶在木偶艺人的摆弄下活灵活现地表演着；一个穿着破旧裤子的秃子正赤裸着上身，吞

吐着火焰;一个手摇风琴手在演奏着华尔兹音乐。

“看,弗莱德利克正在冰激凌店那儿!”碧吉说道。紫色的上衣和草绿色的领子在人群中很惹眼。

路克提议:“我们悄悄地跟着他吧。”碧吉立即同意了他的提议。

弗莱德利克·翰姆朴珥很快离开了

人来人往的步行街，急匆匆地穿梭在市中心狭窄的巷子里。两只小虎紧随其后，一直没有被他发现。

弗莱德利克进入了一座高大的拱门，拱门里面是一个大院子。

碧吉和路克躲在墙角，看到弗莱德利克·翰姆朴珥正快步朝着绿色的金属梯子走去，沿着这紧贴外墙而建的金属梯子可以上楼。

突然，路克在电话里听到过的幽怨旋律再次响起。

接着，一只脚已经踏上楼梯的弗莱德利克像是中了咒语似的呆在那儿一动也不动了。

伴随着哀怨的乐曲，一个刺耳沙哑的声音开始歌唱："每一次我到来，你却偏偏离开……"

"这是什么意思？你把歌词的意思明明白白地告诉我好吗？"弗莱德利克乞

艾德温博士
里尔克纪念馆
杨尼·比柏尔
比柏尔—
录音
艾尔加博士
作家协会

求道,迟疑地扯着下巴上的胡子,就像是在拉紧急制动闸。

路克和碧吉蹑手蹑脚地走进院子,朝一楼和二楼的走廊看去,只见一扇扇房门都紧闭着,看不到那神秘演奏家的身影。

“你是那个警告我的鬼魂!”弗莱德利克大声叫道。为了防止失去平衡,他用手紧紧抓着栏杆。

路克和碧吉四处张望,两人第一次感到恐惧向他们袭来。可怕的音乐和嘶哑的歌声清晰可辨,但没人知道它到底来自何方。

“杨尼!”弗莱德利克呜咽地嘶喊起来,“杨尼,救命!救命!”

然后,音乐声和歌声渐渐轻了下来,鬼魂似乎正在远去。

弗莱德利克大口喘着气,在台阶上坐了下来,用手捂住胸口。

他的声音在发颤："灾难要降临了。可怕的灾难！"

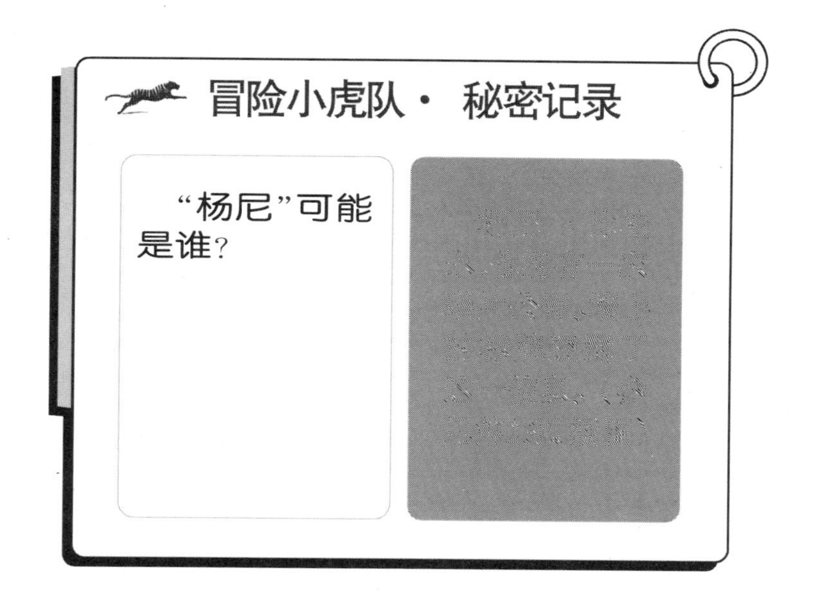

# 怪事连连

碧吉走到弗莱德利克跟前，伸出手想拉他站起来。弗莱德利克惊恐地摇着头："那音乐……那音乐马上又会响起来的。"

"这歌曲究竟是什么意思？"路克问。

弗莱德利克·翰姆朴珥听到路克发问，浑身一震，就好像路克狠狠地对着他胸口打了一拳似的。

"等一会儿，先让他喘口气。"碧吉说。

"求你了，帮忙到二楼按下十七号门铃。"弗莱德利克哀求地看着路克。

路克跨上金属楼梯，楼梯在他的脚下发出嘎吱嘎吱的响声。

十七号房门上的油漆已经剥落，门

旁的铜铃也蒙着一层铜锈。路克伸出食指按下门铃，随即听到门上发出一种很古老的铃声。趿拉的脚步声越来越近了，门被打开了一条很小的缝隙，一张睡眼惺忪的脸露了出来。

“有事吗？”

路克报上弗莱德利克的名字，其作用就如同魔咒一般，从屋里立即走出一个头发蓬乱、身穿轻便运动服的年轻男子。看上去他似乎刚从被窝里爬出来。

“哦，弗莱德利克！”他关切地喊了声，急忙跑到一直蹲坐在楼梯台阶上的弗莱德利克身边。

“我的音乐灵感全没了，杨尼。”弗莱德利克虚弱地解释着，努力露出一个淡淡的微笑，并从自己的上衣内袋里拿出一筒纸。

“他们是谁？”年轻男子用略带警觉的目光看了看碧吉和路克。

没等两只小虎开口回答，弗莱德利克抢先说道：“是邻居家的小孩。我在市区遇到了他们，当时我感到有点头晕。”说着他转向碧吉和路克，“谢谢你们的帮助，我们明天再见，以后送巧克力给你们吃。”

路克和碧吉疑惑地交换了一下眼神。那个被弗莱德利克称作杨尼的男子扶着他站了起来，将他带进了屋。

碧吉对路克说出了自己的推测：“弗

莱德利克·翰姆朴珥先生是音乐家，那个男人看样子像制作唱片的，可能就是因为他是给弗莱德利克制作唱片的，所以弗莱德利克不愿在他面前谈起那个鬼魂演奏家。”

院子里，几只麻雀在树上嬉戏，唧唧喳喳闹个不停，此外就只能听到远处轰隆隆的汽车发动机声。

“也许这世上真的有鬼魂。”路克说着打了个寒战。尤其令他不安的是，他无法为那乐曲和歌声找到合理的解释。

路克和碧吉又在院子里待了一会，仔细观察了敞开式的走廊、红色的屋顶，还有大门和窗户，然后才离开院子回家去。

晚上，小虎队员相约来到秘密据点。小虎队的秘密据点就设在一家叫做“金虎”的中国餐馆下面，那里原本是一个阴暗的地下室，后来被碧吉、路克和帕特里克布置成了一间非常不错的侦探办公室。他们甚至还拥有一台可以上网的电脑。

碧吉和帕特里克进来时，路克正坐在显示屏前研究着什么，两人从他身后看到了几张旧照片。

“这是什么？”帕特里克问道。

“这是列沃珀特·翰姆朴珥的照片。翰姆朴珥可不是一个常见的姓。”路克边解释边用手指敲击键盘，“我在网上找到了他的照片，看起来他似乎很有名气。”

照片上是个年纪非常老的男人，长着浓密的有些拳曲的白色大胡子。“这就是列沃珀特·翰姆朴珥。他七年前去世时已

是一百零一岁高龄。”

“了不起的高寿！”帕特里克一边赞叹，一边顺手抓起一只哑铃。他从不浪费每一个锻炼的机会。

“他是弗莱德利克·翰姆朴珥的亲戚吗？”碧吉问。

“按年龄来说应该是爷爷了吧。”路克回答。

碧吉忽然想到了什么：“弗莱德利克·翰姆朴珥不是说到过，他曾收到一个已经过世的人寄来的信吗？”

路克也想到了这一点。此刻他和碧吉终于有机会向帕特里克讲述他们今天与鬼魂的邂逅了。

“恐怖指数，十！”帕特里克评论道，“但什么时候起白天也闹鬼了？难道鬼魂出没没有时间约束吗？”

碧吉剥开一块榛子巧克力，极其享受地咬了一口，她眯起双眼，对帕特里克

1
2
3
4
5

赞同地点点头。

路克再次敲击键盘搜索，这次他找到了更多列沃珀特·翰姆朴珥的照片，是列沃珀特在不同地方和不同时代拍摄的。其中有一张照片引起了路克特别的兴趣。

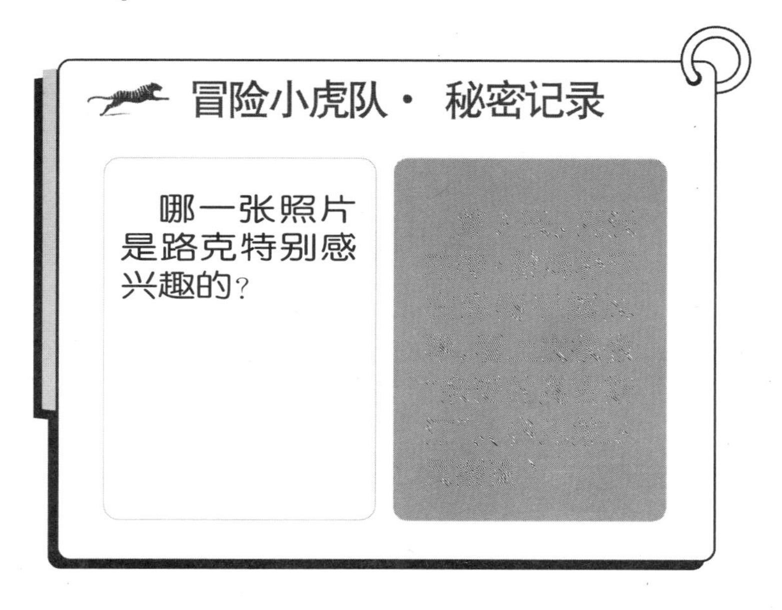

# 一片狼藉的别墅

第二天，三只小虎怀着极大的好奇心，按照弗莱德利克·翰姆朴珥给他们的地址来到了弗莱德利克家附近。

那是一条小巷，路边那一排排漂亮的小别墅鳞次栉比。屋前的院子里，鲜花在仔细修整过的苗畦里盛开着，几棵古树舒展着枝干，就像腾空伸出的手臂遮护着一幢幢屋子。

弗莱德利克·翰姆朴珥的房子外观很容易让人联想到希腊的庙宇，高大的石柱威严耸立，宽宽的阶梯逐级而上，一直通向樱桃红色的巨型大门。

然而，花园里茂密的灌木丛以及疯长的杂草显示今年肯定还没被修剪过。

门边没有安装门铃，门上的一只狮

头嘴里叼着一个粗大的黄铜门环，帕特里克走上前，用门环叩击大门。

过了许久，弗莱德利克·翰姆朴珥才来应门。他的脸看上去还是那么阴郁，黑眼圈似乎比前一天更为严重了，他带着一脸的疲倦示意小虎队员进屋。

一进门，三只小虎就被眼前的景象惊得目瞪口呆，在如此高贵的别墅里，他

们决不会想到会出现眼前这番场景。大理石的墙面豪华气派，笔直的柱子光洁发亮，可这间本该优雅舒适的大厅，却给人一种置身于仓库一般的感觉：地板上摞着大堆的杂志，塑料袋、衣服、书和老唱片扔得到处都是，箱子、一袋袋的膨化玉米片和各种食品罐头堆得像小塔一样。

混乱的景象还不止于此，屋子里杂乱不堪的东西顺着台阶一直堆放到楼上。

“自从我打扫过这屋子以后，我就再也找不到我要的东西了！”弗莱德利克忧心忡忡地抱怨道。

“整理过了？”帕特里克轻声嘀咕着，心想：那这之前又该乱成什么样啊！

这天弗莱德利克身着一件湛蓝色的休闲西服，搭配一条橙色的裤子和一条樱桃图案的白领带。别在他领子上的那些大象、眼睛、钢琴和小尖椒的徽章还是那样的醒目，碧吉时不时地会瞥上它们几眼。

弗莱德利克招手示意小虎们跟着他，并挪开地板上堆放的东西，给他们辟开一条小道，领着他们来到一个大客厅，这个大客厅有一扇通向花园的大玻璃门。

小虎们还从来没见过这么多的乐器汇集在同一个地方。这间房间里硬是被塞进了两架三角钢琴，长毛绒的沙发椅上全都堆放着吉他、萨克斯管、小提琴和其他各种乐器。

弗莱德利克用手指了指三把小小的凳子：“请坐。我想你们一定渴了吧！”说着，他从钢琴上拿起三只茶杯，把瓶装的可乐倒进杯子里。

“我想你们一定觉得我是个疯子，非常危险。”他自顾自地说着。

三只小虎对此没有表示丝毫的异议。

“我根本不是疯子！但人们都这么看我。你们一定得帮帮我啊！”他用一种乞求的眼神看着小虎们，“你们会帮我的吧？求你们了！”

路克微微一笑，不是很有把握地回答说：“如果我们帮得上的话……”

弗莱德利克的小红胡子似乎因为这个回答而高兴得颤动起来。他神秘兮兮地弯下腰，小声地说：“你们有谁曾经收到过来自死人的信件吗？”

三只小虎瞪大眼睛，摇了摇头。

“我收到过！”说着弗莱德利克一下子跳了起来，迅速地取来一只木制小匣子。更令小虎们吃惊不已的是，弗莱德利克竟然取下衣领上的小尖椒徽章当钥匙去打开这只匣子。

“这小徽章可是我爷爷生前的最爱。”他一边解释，一边费劲地忙碌着，“这是非常神秘的钥匙，我们家以前到处都用这种钥匙，从最小的盒子到房门，无一例外。”

锁终于发出“咔嚓”一声轻响，小匣子的盖子自动弹开了。弗莱德利克小心翼翼地从里面取出三封信，把它们分别递给了碧吉、路克和帕特里克。

“这是前些日子在信箱里发现的。”

“您的爷爷是不是叫列沃珀特·翰姆朴珥？”路克问。

“是的，他叫列沃珀特·奥古斯汀·翰姆朴珥。”弗莱德利克略带惊讶地答道。

这些信用的都是考究的厚信封，而且信上的字体给人一种很古旧的感觉。

“爷爷的笔迹就是这样。”弗莱德利克·翰姆朴珥说话的语气变得温柔起来。

一张照片从碧吉手中的信封里滑落下来。那是一张已经发黄的老照片，上面是一辆蒸汽机车，背景是城市。在照片的反面写着以下这些话：

维也纳的地铁线，在皇帝陛下亲临盛大揭幕仪式后，于 1898 年 5 月 9 日起正式投入使用。

帕特里克把他手中的一张地铁照片

拿给大家看。他把照片翻过来，费了好大的劲才辨认出上面潦草的字迹。

维也纳有了自己的地铁，1978年。

路克手里拿着的也是一张老照片，他皱着眉头，一遍遍地查看这张照片，总算认出了上面的建筑物：那是维也纳的圣斯蒂芬大教堂。但是它的大部分已经被毁坏了，黑黑的废墟矗立着，直指天空。照片的背面同样记录着一段话：

圣斯蒂芬大教堂被焚毁了，普默林铜钟被摔碎了。1945 年 4 月 12 日。

三只小虎都在努力回想着前一天的事情，却怎么也想不起来圣斯蒂芬大教堂有被焚毁过的痕迹。

“我爷爷已经死了七年了，他怎么可能寄信给我呢？”弗莱德利克·翰姆朴珥满脸困惑地看着小虎们。

路克摘下眼镜，用牙齿轻轻咬着眼镜腿，缓缓地说道：“这还真是个谜，一个死去的人会寄信，这也太神秘了，而这些信……”

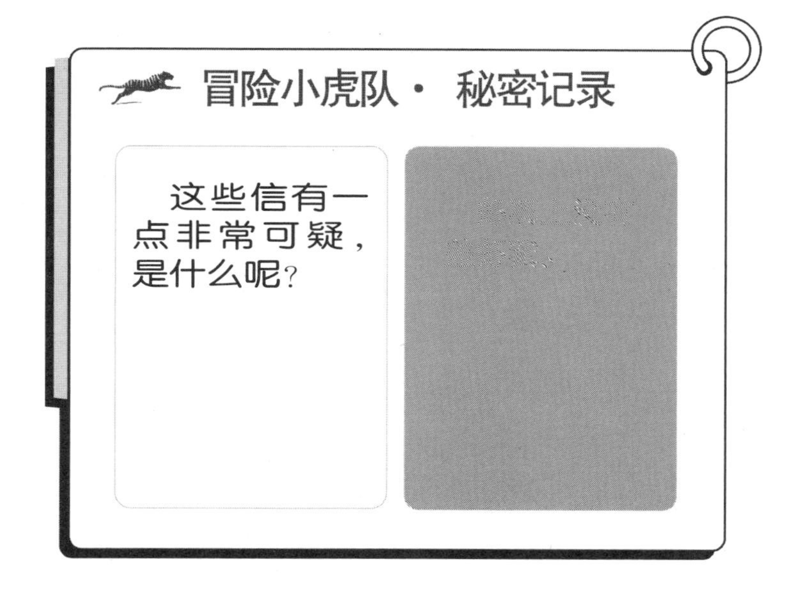

# 亡者的告诫

“您的爷爷还活着！”帕特里克激动地脱口而出。但紧接着他做了个很怪的表情，就好像咬了一口酸柠檬，因为他突然想起这种怀疑是不能成立的。列沃珀特·翰姆朴珥要是活着，岂不是一百零八岁了？

弗莱德利克从首饰盒里取出一个折叠的信笺，小心翼翼地把它打开并念道：“噢，我亲爱的奥古斯汀，那里面可藏有好多东西呢！——下面署了我爷爷的名字。”

路克向他要来了那张信纸，拿着放大镜仔细地检查起来。这上面的字迹确确实实与照片上的一模一样。

弗莱德利克解释说：“这封信和第一

张照片一起放在同一个信封里。”他将身体向后靠了靠，唱起了那首老歌：“噢，我亲爱的奥古斯汀，那里面可藏有好多东西呢！”

碧吉追问道：“那个‘亲爱的奥古斯汀’有什么特别之处，为什么会如此吸引您的爷爷呢？”

弗莱德利克·翰姆朴珥把一个装满了各色零食的盆子递给他们，里面有坚果、口香糖、苹果、硬糖、牛皮糖等。三只小虎不约而同都只拿了一颗硬糖，因为其他的那些零食看上去都不怎么好吃。

“我爷爷的名字里，中间的名字叫做奥古斯汀。”弗莱德利克一边解释一边轻轻地咬着铅笔头，他多半是把那截铅笔头当成了苹果，“可怜的奥古斯汀竟然掉进了鼠疫墓穴，那里埋藏着许多死于那场恐怖疾病的人的尸体。尽管如此，第二天他又健康地站了起来。爷爷生前经常说：干活儿就一定要像‘亲爱的奥古斯汀’一样，即使你掉进了浊泥里，也要笑着跳出来并尽最大的努力把活儿干好。”

帕特里克微笑着点头赞同。这也是他踢足球时的座右铭。

路克从他的百宝箱里拿出一架小巧的数码照相机，对着信笺按下了快门，又对着那些照片前前后后地拍了一阵。拍完后，他把那些东西还给了弗莱德利克。弗莱德利克立刻又将它收藏起来。

弗莱德利克正想坐下，忽然又想起了什么似的拿起一件乐器。那件乐器看上去好像是吉他、钢琴和风琴的三合一乐器。当他轻轻地摇起乐器一端的手柄时，乐器立刻奏出了动人的旋律。

“这是一架手摇风琴。‘亲爱的奥古斯汀’应该曾经弹过它，即便有些人认为他最喜欢的乐器是风笛。当我还是一个小男孩的时候，爷爷把它送给了我。”弗莱德利克·翰姆朴珥忽然提高了嗓门，激动地大声说，“但是，现在‘亲爱的奥古斯汀’变成鬼魂跟随着我，用唱歌来告诫我。”

“告诫？”碧吉疑惑地重复道。

弗莱德利克放下手摇风琴，用力打开了通向阳台的门，深深地吸了一口气。

“在我还很小的时候，爷爷曾教会我

一首歌。”他用低沉的嗓音在小虎们面前唱道：

每一次我到来，你却偏偏离开。

你都悄然而逝，好像不曾存在。

你就好好记住，什么怪事会来！

“我爷爷再三提醒我，如果我听到有人唱这首歌，就要立刻逃离。我应该远走高飞，最好漂洋过海。总之就是要远远地离开，越远越好。”

“为什么呢？”路克问道。

弗莱德利克深深地叹了口气，拿起吉他坐到沙发上，来回地弹拨着琴弦：“对此他从来没有向我透露过半句，一直到他死都没有透露。”弗莱德利克用头朝四周看了一下说，“这栋房子是我爷爷留给我的。”

路克惊讶地说：“你的爷爷曾经这么富有？”

弗莱德利克没有回答他。可就在这

时，从楼上突然飘来歌声，一个沙哑刺耳的声音唱道："每一次我到来，你却偏偏离开……"

弗莱德利克就像触电似的，狠狠地掐住了自己的脖子。

"我不想离开这里，但是现在我可能不得不走了。他就在这个屋子里，那个鬼魂……"

碧吉第一个冲到了大厅，飞身跨过地上乱七八糟的东西，径直朝楼梯的方向跑去。

歌声听上去是那样的奇怪，不像是人发出的声音，就好像是从另一个世界里传来的一样。碧吉毫不犹豫，没征得主人同意就飞身爬上楼梯。她弯着腰、弓着背前进，用手指支撑着台阶。

楼梯上面又是一个大厅，那个大厅的每面墙上都有一扇门。

歌声是从哪里传来的呢？

帕特里克和路克紧随其后，他俩正从碧吉的身后向前张望着。

“每人负责一个房间。”碧吉对男孩们小声耳语说。

他们相互分了工，路克闪身去了左边的门，帕特里克去了右边，碧吉则走近正对着楼梯的那扇门。他们同时按下门把手，把门推开。

路克看到的是一间卧房，里面看上去好像刚刚经历过飓风的袭击一样；碧吉冲进了一间书房，里面的书似乎是被扔进来的，散乱一地；帕特里克走进了一间他有生以来所见过的最大的浴室。

帕特里克原来坚信，那声音是从这间浴室里传出来的。但这声音现在又完全消失了。

小虎们待着不动等了一会儿，四周依旧一点声音也没有。帕特里克忽然向他的伙伴们招手示意，让他们靠过来。

“刚才就在这里面。”帕特里克对他的队友耳语道。

碧吉和路克从打开的房门向里面看去，那是一间铺着瓷砖的房间，这使他们联想到一个小型的室内游泳池，浴盆大得可以装下一头大象宝宝，洗手盆的形状就像个巨大的贝壳，空气中弥漫着湿漉漉的毛巾发出的霉味。

路克吃惊地推了推鼻梁上的眼镜。碧吉深吸一口气，然后捏紧了鼻子。帕特里克不安地咬着嘴唇。三人迷茫地互相交换了一个眼色。

他们在那个房间里没有发现鬼魂的一丝痕迹。

弗莱德利克出现在他们身后，惊恐不安地看着他的浴室。

碧吉想从他口中了解些情况，便问道：“还有什么其他不正常的情况吗？”

弗莱德利克东张张，西望望，然后茫

然地摇了摇头。

帕特里克走到那两扇只有向上推才能打开的窗户前。两扇窗都从里面锁着，那么也就不可能存在有人从这里爬进来又爬出去的可能性。

自从小虎队接手这一案件以来，路克第一次开始严肃地考虑，自己是否确实是在与某种超自然的现象打交道。难道这些真的与亡者有关？

在征得弗莱德利克·翰姆朴珥的同意后，三只小虎还查看了一下书房和卧室。这座房子除了到处都乱糟糟的以外，他们在那些房间里没有发现任何蛛丝马迹可以来解释那种神秘的声音。

弗莱德利克费力地拖出一只破旧的皮箱，胡乱地把牙刷和脏衣服放了进去。

“我最好还是上杨尼那儿住几天。”他喘着粗气说，使劲地想把箱子锁起来，把箱子锁弄得咔咔响，“虽说死鬼在那边也曾骚扰过我，但还是这样更好一些，在令人胆战心惊的时刻，我更愿意有个伴。”

弗莱德利克和小虎们一起离开了别墅，并仔细地锁上了大门。他头上戴了一顶宽边大帽子，手握一把雨伞，和三只小虎挥手告别。

“你们有了新线索一定要通知我。如果我听到那边有什么动静，也会告诉你们的。”

帕特里克、路克和碧吉望着弗莱德利克的背影，目送着他顺着下坡的小巷朝车站方向走去。

当他们转身想朝另一个方向走去的时候，迎面跑来一个年轻女子，她身边奔跑着一条体魄健壮的小狗。小狗显然很兴奋，一路蹦蹦跳跳的，活像一只皮球。年轻女子停下脚步，把手伸进裤袋里翻来找去，但好像没有找到想找的东西。

“很抱歉,舒尔茨先生,忘带狗食了。”

这只名字怪怪的狗失望地耷拉下了脑袋。

“我可以给它吃一小块榛子巧克力吗?不含糖的。”碧吉热心地说。

“榛子可以补脑。舒尔茨先生一定会成为又一个爱因斯坦的。好吧,可以给它吃点!”那个女子笑着擦了擦额头上的汗珠。她朝弗莱德利克远去的方向指了指,说:“听说过那首曲子了吗?在我听来就

像是噪音。但是他很信这个。据说他是一位伟大的作曲家。”

舒尔茨先生急躁地用爪子抓着碧吉的牛仔裤，因为它还想要榛子巧克力。它屁股着地坐着，举起前爪憨态可掬地苦苦哀求着。碧吉心软了，就又给了它一块。

“我一向很好奇，很想知道那个经常来这儿的黑衣女人是谁。”舒尔茨先生的女主人接着说。

“黑衣女人？”路克很感兴趣地听着。

女子津津有味地讲起了这一令她称奇的小故事：“她每次来都坐着一辆豪华轿车，有专门的司机。她走路的时候拄着拐杖，从头到脚都穿戴着黑色的服饰，甚至连脸上都蒙着一块黑色的面纱。”

“或许是作曲家的奶奶什么的吧？”帕特里克开始猜测。

“每次她都只走到门前，在那儿站一会儿，而后就回到车上离开。我已经注意过两次，不，是三次了。其实我就住在这附近。”

“是什么时候的事？”路克问道。

女子想了一会儿，似乎终于想起来了，回答说应该是上个星期的事，那天她为了热身在原地做小跑，当时还对她的狗说：“嘿，舒尔茨先生，如果你不想再增加脂肪的话，就应该继续跑下去。”说罢，她跟小虎们挥手作别，又继续往前跑去。

三只小虎都陷入了沉思，慢慢地朝着他们的秘密据点走去。

“我一直在思考那支鬼魂曲。”路克解释说，“这里头一定有名堂，但是我还没有找到合理的解释。”

“真的是鬼魂吗？”帕特里克谨慎地插了一句。

“我不会轻易相信的。”路克说。

碧吉发表意见说：“也许那真的是来自天堂的告诫。我读过这方面的书，据说过去曾出现过许多次这样的灵异事件。”

“一个‘亲爱的奥古斯汀’的鬼魂，一首作为告诫的歌曲，还有这些照片。”路克整理着自己的思路，突然，他打着响指喊道，“我知道了！我想我知道了，我知道一个死去的人怎样才能寄出信了。”

## 冒险小虎队· 秘密记录

你觉得怎样才有可能做到这一点？

# 穿黑衣的女人

“黑衣女人肯定还知道别的事。”碧吉说。对于她的这一说法，伙伴们非常赞同。

“我们必须找到她。”路克说。

帕特里克觉得这事没那么简单：“你们是怎么想的？难道要找遍整个城市？维也纳城里城外可有大约两百万人呢！”

“她的特征我们知道得也很少，而穿黑衣服的女人肯定有很多。”碧吉不得不赞同帕特里克的想法。

“如果我们运气好的话，她还会再来的。”路克说，“我有这种预感，还会有信来的。我们可以在她送下一封信的时候和她搭上话。”

帕特里克鼓起腮帮子用力呼出一口

气："也就是说我们得日夜监视这座房子了。"

路克点了点头："我们轮流值班，每人两小时。"

"可晚上我们没法这么做，我们的父母不会允许的。"碧吉对这一点颇有顾虑。

路克马上想到了应对的办法："谁最后一个值班，谁就留一张字条给那个黑衣女人，让她自己来找我们。"

帕特里克愿意第一个留在别墅外守候，接下来由碧吉换他的岗，路克值最后一班。

可是小虎们失望了，这天黑衣女人没有出现。于是路克在门缝上粘了封信。但第二天它还在那儿。计划看上去没有奏效。

又过了几天。那是初夏的一个温暖的日子，小虎们仍然守在屋外监视。晚上六点轮到帕特里克在街对面的地方监视。

为了打发这无聊的两小时，他把足球也带来了，测试自己能颠多少个球。他练得一次比一次好，最后颠到60下了，球还一再地被颠起来，似乎没有失去控制的迹象。这时，街道上响起一阵低沉的马达轰鸣声，可他并没有抬起头来看一看。他的全部注意力都集中在足球上了。

一辆轿车在帕特里克身后停下来，但他没办法回头。67，68，69……他就要创造一个新纪录了！70，71，72……

车门打开了，传来了衣服窸窸窣窣的响声。

73，74，75……帕特里克好像已

和球融为一体了。他听到了脚步声，内心深处也发出了提醒自己的声音，但是他还是没有抬头。由于到现在为止，一切等待都是徒劳，他也想不到黑衣女人会在此时出现。

他已经颠到 80 下了!81,82……

轿车门又重新关上，马达像被人触怒的公猫，怒吼似的发出了一阵轰鸣。

这时帕特里克没接住球，球落地了，尽管如此，他还是兴奋地叫了起来，他居然颠到了 86 下！

那辆深色的豪华轿车在帕特里克身边快速驶过。透过轿车的车窗，他看到车后座上坐着一个身着黑衣的女人。

帕特里克的脑子里“嗡”的一声：他把事情搞砸了，他错过了与黑衣女人接触的机会。如果他的伙伴知道了，肯定会把他踢出冒险小虎队的。他想不出更好的办法，只能追着那辆车跑，边跑边挥舞着双手。帕特里克是个跑步能手，他相信自己肯定能追上这段距离。

“等一等，停下。”他大声喊道。

司机在后视镜里看到了他，却做了与帕特里克的期望背道而驰的事：他脚踩油门，汽车飞驰而去。一股浓黑的废气从排气管里喷出来，直扑帕特里克的脸面。他屏住气息，不愿放弃，他的运动鞋在柏油马路上“啪啪”作响。他必须追上那辆车！

豪华轿车转了个弯，从帕特里克的视线中消失了。帕特里克忧心如焚，一时间各种想法涌上心头。如果他最终还是让汽车从他眼前变得无影无踪的话，他只能对他的伙伴们撒谎说没有看见过黑衣女人。因为一旦他说出真相，碧吉和路克是决不会饶恕他的。

他一会儿扶着篱笆墙，以便能够飞快地转弯；一会儿向前滑行，竭力保持身体的平衡。他极目望去，只见长长的街道上挤满了车，可偏偏不见那辆黑色轿车。

帕特里克爬上街角空地边的半高围墙，祈盼能看得更远、更清楚一些。

可是，那辆黑色的豪华轿车已经彻底消失了。它根本不可能有那么超凡的本领嘛。难道这车也是死鬼变的？

帕特里克边跑边寻找着。即使毫无

希望，他也不想就此放弃。要是他刚才记下车牌号码就好了，都怪当时激动得什么都没留意。就这素质，他还能算是个侦探吗？

正当帕特里克悔恨交加、不知所措的时候，他突然发现了一条重要线索。只见前方一辆黑色轿车正逆向驶入单行道，司机还试图将车插入一个停车位。

难道那就是自己刚才拼命追赶的汽车？很有可能司机知道后面有人在追，所以慌不择路，不小心驶入了单行道，现在又试图隐藏起来。

帕特里克慢慢地接近那辆车。这时车的左前门打开了，一个身着蓝夹克、头戴鸭舌帽、头发花白的男人走了出来。他前前后后地张望着，好像生怕有人追来。

帕特里克此时走在人行道上，他的身高恰巧与轿车差不多。他弯下腰，透过右边的车窗朝车里瞧去。

果然不出所料，那个穿黑衣的女人端坐在轿车的后座上，透过面纱，她看上去已经上了年纪，她的双手紧紧地抱着放在膝盖上的一个大手袋。

帕特里克高兴得差点叫出声来。他想了想，然后鼓足勇气敲了敲车窗玻璃。

那个上了年纪的黑衣女人显然被吓了一大跳，她马上叫道："罗博特！罗博特！"

司机听到叫声立刻跑了过来，朝帕特里克伸出拳头作势要打。

出于自我防卫，帕特里克将手举过头顶，声辩道："我没有恶意，真的没有！"

那个司机紧皱着他那浓密的灰色眉毛，双眼瞪着帕特里克："你想干什么？你为什么要跟踪我们？"

"那你又为什么要在我面前逃跑？"帕特里克回击道。

司机语塞，不知道该怎么回答。

"我和我的朋友正在帮助弗莱德利克·翰姆朴珥。"帕特里克解释道，"我们等那个奇怪的送信人已经等了好几天了。我们非常想知道，她为什么要这么做。弗莱德利克被人盯上了，感到非常害怕。"

"你给我原地待着，不许动！"司机指

着帕特里克命令道，然后钻进了驾驶室。他转身面向坐在后座上的黑衣女人，似乎在对她解释他获知的情况。

伴着嗡嗡声，一面车窗玻璃降了下来，从车内伸出一只戴着黑色手套的手，示意帕特里克靠近一些。帕特里克靠近轿车弯下腰。

“请转告弗莱德利克，露伊莎奶奶可以向他解释所有的事情。”

“但是……那些照片是怎么回事？”帕特里克想进一步探究下去。

这时，这个气质高贵的黑衣老妇人已经按下关车窗的按钮，车窗缓缓地关上了。与此同时，司机按下了轿车的中央控制按钮，所有的车门都锁闭了。他发动马达，轿车开始逆向在单行道上行驶。帕特里克只好眼睁睁地看着它开走。

当帕特里克回到小虎队的秘密据点

时，碧吉正埋头翻阅刚从图书馆借来的关于维也纳历史的书籍，路克则坐在电脑前，双手交叉在脑后，观看他刚制作好的那些老照片和信件的视频，屏幕的左边排列着好几支羽毛笔的图形。

“你在找什么？”帕特里克问道。

“在找一支羽毛笔，那支在照片上与信上写字时所用的羽毛笔。”路克解释道，“每个小细节对于侦查工作都可能起到很重要的作用。我猜测，那人使用的是一支极特别的羽毛笔。”

# 戴墨镜的男子

帕特里克向队友报告了所见所闻之后,他们商量着下一步该怎么做。

“弗莱德利克·翰姆朴珥目前在他的朋友杨尼家。我们最好与他谈一下。”碧吉建议道。

对路克来说,要找出杨尼的电话号码并打电话给他,是小事一桩。可惜对方没人接听。

“我会有办法让他接听的。”路克微笑着说,一边按下了手机上的某个功能,这样手机就会一次次地重拨这个号码。

碧吉深深叹了口气,合上了那本厚厚的历史书,汇报说:“老的蒸汽火车所走的线路是现在的地铁四号线路的部分路线。”经碧吉一分析,两张相片之间也就有了某种联系。但那张印有被毁坏的维也纳圣斯蒂芬大教堂的照片又与此有何关联呢?对于这一点,碧吉还没有找到任何合理的解释。

碧吉的手机响起了“健壮的女孩”的旋律,表明是她的妈妈打来的电话,提醒她今晚外公外婆来家里吃晚餐,她必须马上回家。至于帕特里克,还有高强度的体育训练在等着他呢。路克想独自待在秘密据点再研究一下整个情况。

当他的伙伴们出去后,电话那头终于有了回应,一个不耐烦的声音回答道:“喂!”杨尼最终还是接电话了。

“我是路克·坎平斯基,想和弗莱德利克说几句话。”

“他不在这里。”

这让路克感到很惊讶:“可他说这几天会和您在一起的呀。”

“他改主意了,已经坐车回家了。”

路克感觉到杨尼比较难对付。

“到底发生了什么事?”杨尼问得简单而突然,让路克很难拒绝回答。

“就是那些信件和那个让他害怕的鬼魂呀!”

从电话的那一头传来一阵笑声:“哦,你千万别把我们可爱的弗莱德利克的话当真。他是音乐天才,可是他也很喜欢胡说八道。”

路克礼貌地说了声再见,挂了电话。

若不是他自己两次曾亲耳听见那个奇怪的声音,他也会和杨尼想的一样。

天色已近黄昏,路克便骑车回家了。当他推着自行车穿过自家宽敞漂亮的庭院时,听见身后有汽车驶来:是爸爸回来了。

路克的爸爸坎平斯基先生自己不开车,他有个司机叫琥伯特,长得人高马大的,以至于路克总是奇怪他是怎么把自己塞在驾驶座里的。

坎平斯基先生一边钻出车门，一边还在接听电话。他拥有一家大型公司，总是不分昼夜地工作。他一边对着电话说："啊，对，就这样。"一边小声吩咐司机："两小时后我还要用车，琥伯特。"而后他急匆匆地从路克身边走过，亲昵地摸了摸他的头，急步朝自家那栋极具现代风格的白色别墅走去。

路克突然想到了一个主意，于是向

琥伯特招招手，问道："您能送我去个地方吗？不会耽搁您很长时间的。"

待人和气的琥伯特点了头，像对待成人一样地为路克打开了车后门。路克报了一下弗莱德利克·翰姆朴珥家的地址。

当路克抵达那幢别墅时，黄昏已经降临。他站在高高的石柱之间，敲打着门环。没有人开门。路克也无法解释为什么，可他忽然有了一种感觉，觉得不能就这样离开，这似乎非常重要。

他沿着别墅的外墙一直走到大阳台那儿，刚走到拐角，就看到有人从通向起居室的玻璃门里走出来。

路克从没见过这个人，他穿着一身不显眼的灰色上衣，戴着帽子和墨镜。这时，路克脚下有一块石头发出了滚动的声音，戴墨镜的男子马上转过身来面对着路克所在的方向。对路克来说找个地方躲起来已经太晚了，那人发现了他，大

步向他冲了过来。

那人戴的镜片颜色太深,路克无法看清他的眼睛,只看到他一脸的严肃。

路克转身想跑,可是他的脚尖却被地上的一根树枝绊了一下,紧接着一个踉跄摔倒在地。还没等他重新站起来,那男子已冲上来抓住了他,用胳膊肘压住了他的肩膀。

“你在这里干什么?”他大声问道,既显得盛气凌人,又显得气急败坏。

“我……我是来拜访弗莱德利克·翰姆朴珥的。”路克如实作了回答。

“你找他干吗?”

路克挣脱了那个人的手,转过身来,挑衅似的盯着墨镜镜片。

“你在这里找什么?”

那人向后退了两步,把双手插入裤子口袋。

“我没有必要告诉你。”

路克从口袋里掏出手机，威胁似的把拇指放在呼叫键上。

“我要报警。”

那人勃然变色，似乎想要夺走路克的手机，但他马上强作镇静，脸上勉强挤出一丝微笑。

“哦，没这必要，没什么大不了的事，孩子。”

路克举着手机，极不信任地盯着陌生男子的脸，等着他继续解释。

“我……我认识弗莱德利克·翰姆朴珥已经很久了，今天来拜访他，可他没有开门，所以我就到阳台这边来，因为我以为他会在这里，但他不在，阳台门大开着。看样子是风把阳台的门吹开的，所以我就进去看了看。”

路克身后传来了脚步声，他快速回头看了一眼，只见琥伯特走了过来。

“我听到这儿有动静，怎么啦，路克？”

琥伯特边说边疑惑地打量着那个男人。

“他是个贼！”路克一边大声叫喊，一边朝琥伯特奔去。

那人想要逃跑，却又强迫自己站在原地不动。他高傲而面带微笑地问道：“你怎么会产生这样的念头？”

路克说出了理由，陌生男子不得不佩服路克敏锐的观察力。

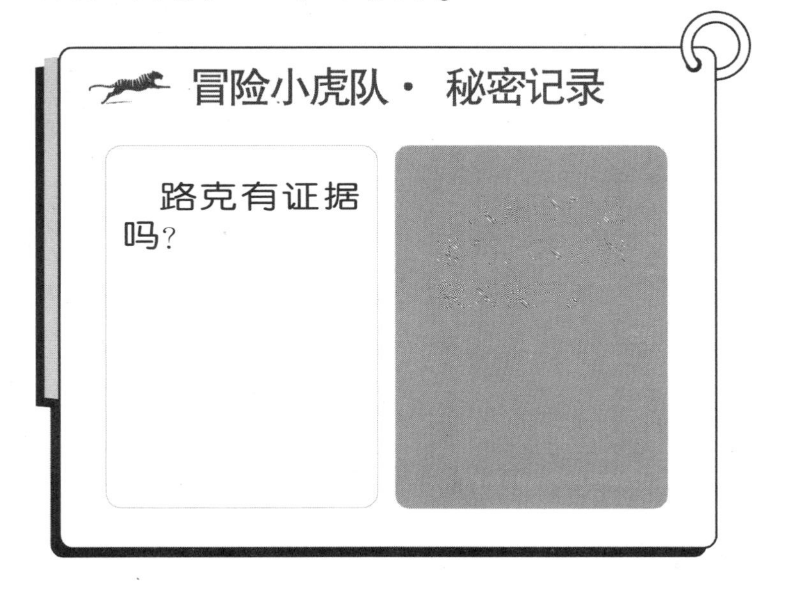

# “鬼魂”再现

“是你把门撬开的。”路克直截了当地指控那名男子。

“不是我。”男子也不客气地反驳道。

与此同时，琥伯特已经掏出手机，拨打报警电话。

“别这样，千万别叫警察！”戴墨镜的男子恳求道，他指着虚掩的大门继续说，“刚才有人在房间里，有可能那人还在里面。我认为那是个入室盗窃犯。”

“弗莱德利克·翰姆朴珥发生了什么事？他会不会遇到了什么不测？会不会遭人袭击？”路克的脑海里迅速掠过一连串的问号，他很想马上进去查看一下究竟。

“听着！”那名男子走近路克，目光谨慎地扫过花园，似乎怕有人窃听，“我不能也不会向你作更多的解释，我只能说，我的任务是保证弗莱德利克·翰姆朴珥以后几天的安全。”

司机琥伯特抚摩着他长长的下巴，干笑了一声：“我这是在哪儿啊？这里有摄影机吗？或是正在上演一部真实的间谍电影呢？”

那男子板着脸注视着琥伯特，冰冷的目光仿佛能穿透厚厚的镜片。

“你和这个年轻人最好离开这里。你们还是听从我的建议为好。”

琥伯特两腿分开站着，双臂交叉在胸前，说：“你威胁不了我的。”

“如果你们不听我的忠告，你们会后悔的。”男子转向路克继续说道，“这是我的电话号码，请允许我自报家门，我叫贝尔特。”说着，递给路克一张小小的名片。

路克忐忑不安地用手指推了一下鼻子上的眼镜架，眼前，这两个男人所发生的磨擦并没有让他觉得不安，路克担心的是弗莱德利克。他也许正受伤躺在房间里，他可能已经遭到了袭击。

手摇风琴的琴声再次从空中传来，很微弱，但清晰可辨，那高亢的音调所唱的，正是弗莱德利克所害怕的那首歌。

贝尔特抬起头左右张望，就像一只注意到奇怪响声的猎犬。

“那是什么鬼声音！”贝尔特很诧异，“是有人在故意开玩笑吗？是从房子里传出来的吗？”

“那是‘亲爱的奥古斯汀’的鬼魂在歌唱。”路克解释道，但他很快发觉这个解释很愚蠢，因为贝尔特对他微微一笑，就像对待一个讲述粉红色大象故事的小男孩一样。

“到底在搞什么名堂？”琥伯特正了正他的司机帽，踏着有力的步伐向那幢房子走去。路克紧跟其后。他留意到大门的门锁上有撬过的痕迹。他们越接近那扇微微打开的大门，音乐声就越响。

路克不能肯定客厅是不是又被彻底搜查过一遍了，因为它看上去并不比原来的更凌乱。

“弗莱德利克？”路克透过大门的缝隙向里屋试探性地喊道。

没有人回答。

“可他一定在里面。杨尼说他回家了。”路克向琥伯特解释道。

司机琥伯特一把推开半开的门，踏入大客厅。他像仙鹤走路一样，抬高双腿跨过堆放得乱七八糟的物品。他从一张小桌子上拿起一个高高的黄铜烛台，像举着一根棒球棒似的，以便在必要时可以用来自卫。路克紧紧地跟在他身后。

那音乐声明显是从楼上传来的。

路克和琥伯特两人站在大厅里，静静地侧耳倾听着。琥伯特望着身边杂乱

无章的东西，满腹狐疑。

与此同时，路克发现了两条重要的线索：第一条线索是那封黑衣女人扔进来的信，第二个发现可能也与她有关。

## 冒险小虎队· 秘密记录

那封信在哪里？哪条线索可能是与那个黑衣女人有关的第二个发现？

请把“定位搜索卡”平放在第84—85页的插图上进行搜索。

# 路克的新发现

路克在刹那间拿定了主意，快速穿过客厅跑到花园里，想绕过房子赶到大门口去。他到达得正是时候，刚好看到那个穿黑衣服的老妇人正往车厢里放她的拐杖，撩起长裙准备坐进车里。

“等一等，请等一下！”路克叫了起来。

由于受到惊吓，那位老妇人一时失去了平衡，侧身倒在后排座椅上。她的司机见状立即从车里跳了出来，挡在老妇人的身前，俨然一副要保护她的样子。

这位老妇人边喘着气，边吃力地支撑起身体，并把沉重的双腿放进车里。

“快滚，别来打扰我们尊贵的夫人！”司机对着路克大声训斥。

路克却又上前一步：“这事很重要，

关系到弗莱德利克的生命。我担心他有可能已经遇上什么不测了。”

一只戴着黑色网眼手套的手轻轻地把司机推向一边，司机的背后露出了那张用面纱遮住的脸。

那位老妇人用沙哑的嗓音问道：“你听到什么关于弗莱德利克的事了吗？”

“他曾向我们求助，抱怨说总被一个鬼魂跟踪，并不断收到各种警告。还有就是——他对他那位已经过世的爷爷寄来的信完全不知所措。”

透过面纱上的网眼，路克辨认出一张修长温和的脸。

“那个今天追我们车的男孩，还有你，是一块儿的吗？”

“对，我们是冒险小虎队的！”路克回答

道。他的口袋里有一张小虎队的宣传单，就把它拿了出来，递给那位老妇人。而那个司机依然像块岩石似的堵在路克和老妇人中间，他那双灰蓝色的眼睛警惕地盯着路克。

“你刚才说什么来着？弗莱德利克会遇到什么不测？”老妇人忧心忡忡地问。

于是路克简短地把刚才发生的事情向她讲了一遍。老妇人脸上的面纱由于她急促的呼吸而不停地起伏，最后她向司机命令道：“罗博特，请你到房子里找一下弗莱德利克。不要叫警察，这你应该知道的。还有你，这是我的名片，明天十一点，我们在美景宫前见面。”

司机愤怒地白了路克一眼，他朝老妇人鞠了个躬，然后重重地把后车门关上，临走时还用遥控器使中央控制按钮锁闭了所有的车门。那位穿黑衣的老妇人隔着窗玻璃朝罗博特喊道：“信，罗博特,记得把信拿回来。”

路克毫不犹豫地尾随身材魁梧的司机朝房子走去。

自称是贝尔特的戴墨镜的男子已不在花园里了。他进屋去了?琥伯特会不会已经发现了什么?

这时,从二楼传来了愤怒的喊叫声,那是琥伯特的声音。

“你在哪儿?别藏了,快出来吧!否则我可要发火了。”

罗博特很快找到了楼梯,一阵风似的跑了上去,他那宽阔的肩膀让人联想起摔跤运动员。瘦小的路克感到有这样的人在身边非常安全。

就在三只小虎曾经待过的那个有着三扇门的二楼大厅里,琥伯特的身子猛地往这儿一转,然后又猛地往那儿一转。而促使他做出这一举动的原因是令人毛骨悚然的:鬼魂的歌声一会儿从厕所传来，一会儿又突然从卧室传出，稍作停顿后，声音又从书房里响起。

“可是这儿什么人也没有。”琥伯特从卧室里冲出来说道，他的头发已被汗水浸湿，贴在了额头上。

浴室的门从里面被撞开了，那个戴墨镜的男人从里面冲了出来。他也和琥伯特一样愤怒：“这不可能，这声音，这音乐……到底从哪儿发出来的？”

好像是作祟的鬼魂存心要和他们开玩笑似的，歌声在书房里响起。

之后是死一般的寂静。

罗博特打了一个手势，示意大家分头行动，每个人负责一扇门。于是，罗博特、琥伯特、贝尔特都蹑手蹑脚地走到各自负责的房门前，边倾听边等待着。

路克站在楼梯的最高处观察着他们三人。这时，楼下有一阵轻微的破裂声传来，之后是开门的嘎吱声。

路克嗞嗞地吸着气，想以此来集中注意力。其他人非常不满地示意他安静。

路克的心怦怦乱跳，悄悄地往一楼大厅的方向走去。

## 冒险小虎队· 秘密记录

有些东西发生了变化，是什么呢？

请把第 92—93 页的插图与第 84—85 页的插图进行比较。

# 亲爱的奥古斯汀

接下来发生的事让人目瞪口呆。

楼上传来了手摇风琴声和嘶哑的歌声，响得震耳欲聋。说时迟那时快，箱子上的那顶棕色的宽边软呢帽突然活动起来，帽子下面出现了一个穿着古式衣服的人影——粗麻布衬衣，破旧的及膝束腿裤，低垂的帽檐盖住了整张脸。只见他弓着身子朝大门的方向逃去。

这就是“亲爱的奥古斯汀”，或者更准确地说，是弗莱德利克口中的“亲爱的奥古斯汀”的“鬼魂”。但路克很快便想明白了：这不是真正的“鬼魂”，是有人装神弄鬼。

一开始路克又惊又怕，吓得不能动弹。但瞬间之后，活力又重新回到他的身上。他一边奔跑，一边从百宝箱里掏出数码相机。他并不指望能追上那个人，但或许他可以拍到几张照片。

路克跳过地上凌乱的垫子和袋子，冲出大门进入夏天的夜幕中。

他听到花园后面有急促的脚步声。路克循声追去，并不断地按着快门。照相机不知疲倦地闪着光，在刺眼的亮光中，路克看见那人翻过篱笆进了邻居家。他在后面大叫“站住”，但是那个装神弄鬼者毫不理睬。

当路克来到篱笆前的时候，不得不放弃追踪。他可不是攀爬能手。换作帕特里克的话，他一定会穷追不舍。

从邻居家的花园里传出愤怒的狗吠声，然后是布片被撕破的声音。

“出去，舒尔茨先生，安静！”路克听到他们昨天遇见的那个女人在低声呵斥她的爱犬。

舒尔茨先生痛苦地尖叫了一声,仿佛被人踢了一脚,随即又开始狂吠起来。

房子外墙上的大灯被打亮了,整个花园暴露在一片惨白的灯光中。女主人穿着牛仔裤和毛衣走出来,冲着夜幕询问:“喂,外面有人吗?”

路克向她挥了挥手。她看到之后,便向篱笆走了过来。舒尔茨先生一步三跳地跟在女主人后面,急促地喘着气。

当路克告诉她发生的一切之后,那女人吃惊不小。

路克突然想到了什么,说:“地上的什么地方一定还有舒尔茨先生从那人身上扯下来的布。”

那个女人和她的狗立刻开始了搜寻工作。路克听到她一边对狗反复地下命令:“搜!舒尔茨先生,搜!”一边在被灯光照亮的花园里靠路克的一侧来回巡视。

路克站在篱笆旁边等着,同时翻看

他刚刚拍下的照片。大多数照片上只有灌木丛和树木的枝杈，却没有那个神秘的人影。

翻到最后几张时，终于有一张照片上面显露出绰约的人影。虽然只照到他脖子以下的部分身体，而且还是正在移动的模糊影像，但路克还是发现他手里好像拿着一样东西。

照片非常模糊，就算路克再怎么放

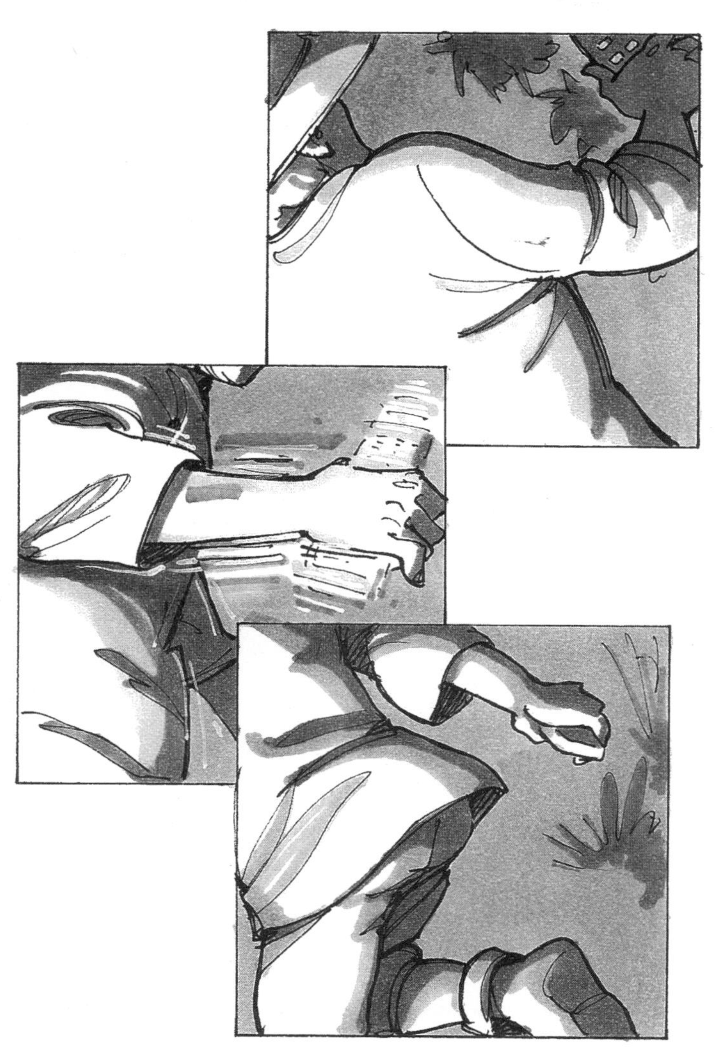

大，也分辨不清那到底是什么。

路克继续往下翻照片，发现这样的照片还有两张。虽然这些照片都没有拍到那人的脸，但路克现在已能确定那个人手里到底拿着什么了。

路克的脑海里电光一闪，突然明白“鬼魂”是如何在房子里制造出飘忽不定的歌声的了。

# 不退则进

当天晚上路克就试图联系帕特里克和碧吉，想把这激动人心的新发现告诉队友们。但遗憾的是帕特里克遇到了麻烦，他父亲突然想起要检查他的数学作业，而他刚好没做，免不了挨了一顿骂；碧吉则由于外公外婆来访而无法接电话。

路克急得像热锅上的蚂蚁，他坐立不安，在房间里走来走去。要是一下子变成明天多好啊！他就可以和队友们碰头了。这件事是多么的重要，他已经等不及告诉队友们了。

冒险小虎队这次接手的案件已演变得越来越重大，越来越神秘了。

这时，冒险小虎队的对外电话突然

响了起来，路克按下通话键自报家门，可听到的却是电话那头传来的喘气声。

“喂，你是谁？”路克问道。

电话里响起了一个有些刺耳而又充满着恐惧的声音：“我是弗莱德利克。请你们不要再插手这件案子了，什么都不要管了，把我所说的都忘了吧。是我搞错了，根本没那回事。就这样！你们没必要再查下去了。”

“您在哪儿？您的奶奶正在找您，还有一个自称贝尔特的男人也在找您。对了，有个好消息，我们已经知道有人在装神弄鬼，假扮鬼魂吓唬您。”

弗莱德利克却并不想听路克再说下去了，他只是一个劲地重复着相同的话：“别插手，这和你们无关，别再查了。听懂了吗？”

这时，电话那头有人抢过话筒，用很不友好的口气低声说道：“这不是小孩该管的事，太危险了。这是一个警告。别报警！知道吗？不然你们会遭殃的！”说完，那人就挂了电话，连声再见也没有说。

路克盯着手里的电话，像是它会再告诉他些什么似的。他不知该如何是好，这时他想起了贝尔特。贝尔特真的会帮他吗？不过，至少他看起来对弗莱德利克没有恶意。于是路克拨通了那个戴墨镜的男子给他的号码。

路克很快就听到了一声短促的“喂？”贝尔特接了电话。

路克简明扼要地叙述了弗莱德利克的来电内容。贝尔特显然像是听到危险信号似的戒备起来，他匆忙地向路克道谢，说了声再见就挂断了电话。路克多么想再问他几个问题，却已经没有机会了。

第二天是星期六，不用上课。九点钟的时候小虎们在秘密据点碰头。帕特里克由于训练过度导致肌肉酸痛，走路时腿脚僵硬，连腰都直不起来了。而碧吉过来时带了本外婆送给她的有关维也纳的新书。

路克终于可以把他的新发现详详细细地告诉大家了。说完后，他得意地看到了伙伴们吃惊的表情。

“请你再从头开始慢慢地讲一遍。”碧吉要求道。

路克简要地说：“那个‘亲爱的奥古斯汀’的鬼魂看起来的确十分逼真。他在弗莱德利克的房子里耍了个很阴险的诡计：他通过遥控器分别控制浴室里的收音机、书房里的音响和卧室里的电视机。比如说，在音响中放入一张录有鬼魂歌声的CD，在收音机里插入一块集成电路芯片以及用电视机播放DVD。音乐和歌声都设置在特殊的音轨上，如果弗莱德利克手动去调设备，就不会发生‘灵异事件’。只有借助遥控器才能操纵这些设备。”

听了路克的推断后，碧吉和帕特里克大为吃惊。他们从未想到这一点。

帕特里克用手指转着足球：“那么，穿着‘亲爱的奥古斯汀’的衣服扮成鬼魂的人又是谁呢？”

关于这一点，路克无法回答。

路克说道："黑衣老妇人约我们十一点在美景宫前的公园见面。"

"我很好奇，她会告诉我们什么。"碧吉抬了抬眉毛说。

最后，路克也说到了那个稀奇古怪、莫名其妙的弗莱德利克的来电。

突然路克又想到了一件事，于是从自己那只装着全副侦探装备的百宝箱里拿出了一个带着金属襻儿的衣服残片，把残片放到了桌子上。三只小虎都弯下腰仔细地研究起来。

"这个是舒尔茨先生从'鬼魂'身上扯下来的。但这到底是什么呢？我是说，这东西本来是在外衣的什么部位？"

而令其他两人惊奇的是，帕特里克马上就知道了答案。他红着脸说出了理由。

## 冒险小虎队· 秘密记录

狗是从哪儿扯下这块布的？

# 现场总有奥古斯汀

黑衣老妇人端坐在树荫下的长凳上，两眼充满期待地注视着面前的三只小虎。这天她脸上没有戴面纱，但还是没舍得换掉那顶小巧怪异的帽子，帽子上还缀着一根向后面弯曲的长羽毛，微显玫瑰色泽；雪白的头发高高耸起，梳理得一丝不苟。

司机罗博特像英国女王宫殿前的守卫一样，在几米远的地方来回走动，关注着这边的一举一动。

小虎们在礼节上做得非常高雅，碧吉行了曲膝礼，两个男孩行了鞠躬礼。假如他们的父母亲眼看到这个场面的话，一定会惊得目瞪口呆的。

那个自称是露伊莎奶奶的妇人至少

有八十岁了，或许甚至是九十岁。她招手示意小虎们坐到自己身边来："坐这儿吧，这样我们说话更方便。"

路克突然笑了起来，因此引来了老妇人责备的目光。

"对不起。"路克急忙道歉，"我在笑帕特里克，他刚才说，他小时候总是不得不穿及膝束腿裤。我正想象着他穿这种衣服会是什么样子。"

帕特里克对他做了一个非常愤怒的表情，路克很快恢复了严肃的状态。

老妇人稍微摇了摇头说：“我不懂那是什么意思。”

露伊莎奶奶想更多地了解冒险小虎队和他们遇到的一些情况。三只小虎不得不详细地谈起他们是如何认识弗莱德利克的。

老妇人微笑着说：“那是一个疯头疯脑的小娃娃，但他爷爷却总是向着他。要知道，家族的其他人总是嘲笑他，他的父亲甚至不让他继承遗产，因为他原本期望弗莱德利克去做律师，弗莱德利克却只对音乐感兴趣。只有他爷爷奥古斯汀支持他。”

“您是说列沃珀特·翰姆朴珥吗？”路克问了一句。

“他所有的朋友都叫他奥古斯汀，虽说这是他的第二个名字。”露伊莎奶奶拨弄着她那暖和天气里也套在手上的黑色网眼手套，"奥古斯汀曾是一个了不起的摄影师，将这个城市中的重要事件都拍摄了下来。'现场总有奥古斯汀。'他一直如此自称。"

陷入回忆中的老妇人轻轻地叹了一口气，接着说："我经历过那可怕的战争。那时，我经常待在地下室吓得发抖，因为维也纳遭遇了炸弹的轰炸。我朋友们的住房都被炸毁了，我的一个女友失去了她的母亲、父亲和哥哥。你们能够想象这一苦难吗？"

帕特里克、路克和碧吉入神地听着她的叙述。他们曾在学校学过这些历史，但露伊莎奶奶的讲述使他们活生生地感受到，当时的生活中充满着悲伤和恐惧。

"后来，战争终于结束了，维也纳也成了一片废墟。到处可见荷枪实弹的外国军队，维也纳被分割成四个占领区，分别由美国人、俄罗斯人、法国人和英国人管辖。如果我要去看望我的女友，必须两次出示护照，就好像过边界到另一个国家去一样，而事实上我只是从维也纳的这一边到城市的另一边去。”她的目光移向了美景宫的阳台，“但后来通过谈判终于达成了协定，奥地利又重新成为了一个自由的国家。五十年前，就在那阳台上面，外交部长费格尔满怀自豪和幸福地展示了那份文件：我们重获自由了。”

她把脸转向小虎们。

“奥古斯汀不仅拍下了当时的照片，他知道的比我们多多了，因为他总是出现在现场，离事实最近。”

“那么，您为什么要不断地给弗莱德利克送去那些信件呢？”碧吉出奇不意地问道。

“姑娘，问得好啊！”老妇人改动了一下坐姿，目光转向花园中色彩缤纷的鲜花,"我们相互认识,从小就认识,我是说奥古斯汀和我。但我们之间从来没有发生过你们现在所说的亲昵举动,我们是好朋友,直到奥古斯汀离我而去。"她从皮包中取出一块手帕,揩拭了一下眼角,"他请求我在他去世七年以后将这些信带给弗莱德利克,隐蔽地、一封一封地送。他以为,弗莱德利克会知道该怎么做。"

路克急切地问:"总共有多少封信?"

"八封。"老妇人用手拍了拍皮包,面朝着路克,"全部又重新回到我这里了。多亏你曾对罗博特说弗莱德利克将第一批信放在那个匣子里了。余下来的信件我原本也该给他的,但既然有人想做不利于弗莱德利克的事,我就只好把信件全拿回来了。"

路克讲起了前一晚上他接到的弗莱德利克的来电。

"那个假扮鬼魂的人到底是谁?"露

伊莎奶奶略带愤怒地问道。

三只小虎同时摇了摇头。碧吉问起了那首令弗莱德利克害怕的歌。

老妇人点点头说:“奥古斯汀也曾提醒过我,他说,这首歌预示着危险。”

路克大声地说出了自己的怀疑:“列沃珀特·奥古斯汀·翰姆朴珥曾有个秘密。现在发生的一切都与那个秘密有关。”

“您对他很熟悉。您是否知道点什么?”碧吉看着老妇人问道。

老妇人深深地吸了一口气,而后慢慢地说道:“是有一些我至今也弄不明白的东西,但我还不便说出来。对我来说,那是对高贵的奥古斯汀的背叛。”

“请您说出来吧,那很重要!”小虎们齐声哀求。但露伊莎奶奶没有让步。她拿起皮包,取出一个有些磨损的袋子。“这就是那八封信,上面贴的都是过去的邮票。如果你们愿意可以看一看。”

剩下的信封里都是照片。路克请伙伴们帮他拿住照片，他用照相机将照片的正面和反面都拍摄下来。最后，露伊莎奶奶把那封弗莱德利克曾给他们看过的信递给他们。

“噢，亲爱的奥古斯汀，那里面可藏有好多东西呢！”碧吉大声地朗读着信上的内容。

老翰姆朴珥想说什么？毫无疑问，他想让弗莱德利克接收到指令。在这种看似平常的信件中常常会隐藏着另外一个信息，这个信息也许是用醋或柠檬汁书写的，也许是用水写的。他们把那张纸对着阳光进行检查。

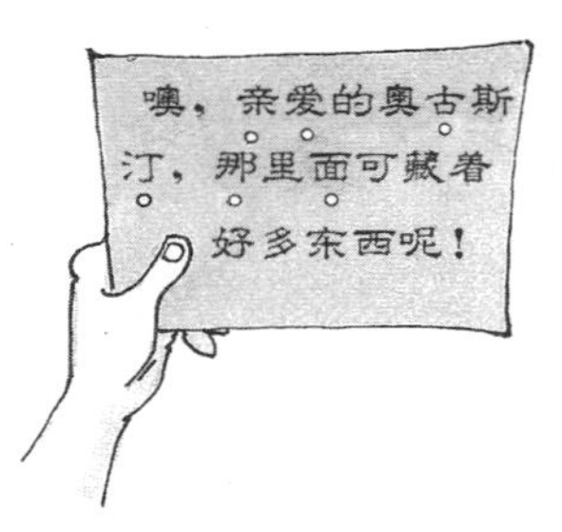


帕特里克听到碧吉大声地吸了一口气。

“怎么回事？”

“我知道了……”碧吉轻声地说道。

## 冒险小虎队· 秘密记录

碧吉发现了什么？

# 美景宫前的遭遇

露伊莎奶奶不得不承认说："你们确实拥有侦探的能力，非常了不起。"

路克再一次用放大镜仔细地检查了那封信，得到了和碧吉一样的结果。但这几个字有什么特别之处吗？

帕特里克拿起照片对着太阳。

"这不是个别现象。"他惊呼道，指给伙伴们看他的发现。在每一张照片上都至少有一个针刺痕迹，有些有两到三个。

碧吉将照片反转过来，马上就惊讶地努起了嘴。照片反面是列沃珀特·奥古斯汀·翰姆朴珥写下的文字说明，每一个针刺的痕迹都指向其中一个字。

路克激动地对着照片上的这些文字进行拍摄。帕特里克仔细辨认着其他照片上的针刺痕迹，而碧吉急速地剥开随身携带的榛子巧克力包装纸，把巧克力塞进嘴里，同时将所有的重要信息记录在糖纸的内侧。但当她将这些字连起来读时，却读不懂，它们根本连不成一句通顺的话。

帕特里克猜测道："得把这些字按一定的顺序组合起来吧？"

三只小虎和老妇人都深深地陷入了已故摄影师留下的指令谜团之中，谁也没有注意到有人正悄悄地向他们靠近。就连罗博特也没有想到会有危险，正悠然自得地翻阅着报纸。

那偷袭者动作敏捷，就像是从地底下突然冒出来似的，一下子就站到了露伊莎奶奶和小虎们坐的长椅后面。

碧吉觉察到了动静，转过头来，可是随着一阵刺耳的嘶嘶声，她的双眼一阵刺痛，然后就什么也看不见了。她用手慌乱地拂拭双眼，但灼痛感一点也没有减退。她听到身边也传来了呻吟声，意识到两个男孩也遭到喷剂袭击了。紧接着有人撞了她一下，然后匆匆忙忙地逃走了。她想呼叫救命，却说不出话来，喉咙里有一种火辣辣的感觉。

甬道上的小石子被偷袭者逃跑的脚步踩踏着发出沙沙声。路克拼命地吸气，用嘶哑的声音叫道："照片……那些照片……"

"天哪，发生什么事了？"不远处传来了罗博特焦急的声音，他发现有人袭击，可为时已晚。

"我的包……照片……"路克还在呻吟着。

小虎们痛苦地蹲在地上，试图用鼻子闻出被喷了什么东西。

"是胡椒水……他喷洒了胡椒水。"帕特里克的说话声听起来就像是有人卡

住了他的脖子。

罗博特追上去想逮住偷袭者，但很快就只身返回了。

“那是谁？他长什么样子？”罗博特瞪大双眼提问。小虎们指了指流泪的眼睛，无奈地耸了耸肩。

“罗博特，你混账！”老妇人破口大骂。小虎们听到老妇人骂出这样粗鲁的话，都呆住了。

“对不起，尊贵的夫人。”罗博特抱歉地垂下了头。

慢慢地，碧吉、路克和帕特里克又能看见东西了，但眼皮有些肿胀，眼眶中的泪水像是一道水帘，蒙住了眼前的景物。

所有的东西都没有了：路克的百宝箱，露伊莎奶奶的皮包，还有曾经拿在小虎们手上的照片和信。

还算幸运的是，喷剂没有对老妇人造成任何伤害。她垂头丧气地摇着头，伤心地喃喃自语：“我亲爱的奥古斯汀，你会原谅我吗？我没有完成你的遗愿。”

小虎们也暗暗自责，他们本该多加留心的。但现在意识到已经晚了。

罗博特跑去买来了一大瓶矿泉水，让小虎们冲洗脸和手。灼痛的感觉渐渐地消退了。

“我们马上通知那个贝尔特。我希望他知道弗莱德利克更多的事情。”路克说出了自己的想法。

老妇人不无忧虑地抓住坐在自己身旁的碧吉和帕特里克的手臂。

“孩子们啊，事情发生得太突然了。我请你们听我一句话吧,不要去冒险了。”

小虎们的内心也充满矛盾，一方面他们非常好奇老翰姆朴珥给他的孙子留

下了什么样的嘱托，另一方面他们也清楚，有人不顾一切地想得到这些信件，这事一定非常危险。现在，他们手上只剩下记录在糖纸内侧的文字。他们能解开老翰姆朴珥的密文指令吗？

“让我送你们回家。”露伊莎奶奶站了起来，让小虎们坐到自己的车上去。

想不到，这时情况有了一个新的转折，突然间好像什么线索也没有丢失。

请把“定位搜索卡”平放在第122页的插图上进行搜索。

# 照片上的时空之旅

露伊莎奶奶带着小虎们去了一个特别热情的女医生那里。医生再一次清洗了碧吉、路克和帕特里克受了刺激的眼睛，给他们点了有镇静作用的滴眼液，还敷了些软膏。

最后，露伊莎奶奶吩咐说："罗博特，你先把我送回家，然后再回到这里来接送这三位年轻朋友。从现在起，你要对他们的安全负责。"

这位司机承诺说：他将日日夜夜待在小虎们身边守候。由于对公园里的突袭事件未能做好保护工作，他一直深感内疚。

罗博特开车把三只小虎送到了秘密据点。路克进门后做的第一件事就是打

电话。他拨了贝尔特那又长又少见的号码，但始终没有人接听电话。

碧吉从“金虎”中国餐馆买来了一大盘春卷。看见美食，感到肚子饿的不仅仅是她，大家都开始狼吞虎咽起来。

背后的打印机发出嘎嘎的响声，一张接一张地吐出照片。

“该开工了！”路克说道。他把照片的正面和反面粘在一起，然后满意地点点

头。针刺的痕迹成了一个个小点，清晰可见。

碧吉重复地念叨着那些带有针刺痕迹的文字，路克则一直在研究那些照片拍摄的是什么历史事件。

一张照片上是曾经展示国家条约的那个美景宫的阳台，而其他的照片上也都是一些维也纳历史上发生的事件。

时间一分一秒地过去了，他们还是没搞明白老翰姆朴珥的指令到底是什么。

路克建议：“我们把那些照片按照时间的先后次序排一遍试试。”

“但并不是所有的照片上都注明日期了啊！”帕特里克插话了。

“那么我们就必须找出它们是属于哪个时期的。或许照片的顺序会对我们有所帮助。”

经过一番整理之后，他们终于成功

了！三只小虎带着胜利的喜悦直起了身子，互相对视着，大大地舒了口气。

小虎们把找出的指令写到纸上：“那里埋藏着亲爱的奥古斯汀，他的宝藏就在那个地方。”

碧吉挥舞着写有句子的纸条，好像那是一面旗子。路克也非常高兴，但马上又皱起了眉头：“这个地方在哪儿呢？”

帕特里克很有把握地说：“露伊莎奶奶肯定心中有数。”

路克拿起手机，想重新给贝尔特打电话。这一次，在铃声响了好几次以后，贝尔特终于拿起了电话听筒。

“喂？”他接电话的语气还是那样的简短。

“我们是冒险小虎队。有关于弗莱德利克的新消息吗？”

“还没有。”贝尔特回答得有些吞吞吐吐，好像没有打听到更多的消息使他感到不安似的，“你们在哪儿？”

路克差一点脱口而出，忽然间他也犹豫起来：也许贝尔特有许许多多的事情瞒着大家，他们对他一点儿也不了解。

“我们过一会儿给您打电话。”路克匆忙回答了一声就把电话挂断了。他一边玩着手机，一边对同伴们说：“我有种感觉，那个杨尼或许知道些什么。”

“我们去找他。”碧吉朝门口走去，“面对面地谈总要比打电话要直接得多，也能获得更多的信息。”

三只小虎锁上门离开了秘密据点。他们把要去的地址告诉罗博特，罗博特竟做了个鞠躬的姿势。小虎们感到非常惬意，他们也能坐在豪华轿车的柔软皮座位上，还有专门的司机。他们要尽情地享受这一切。

碧吉按响了杨尼·比柏尔家大门上面的门铃。但里面悄然无声，他好像不在家。碧吉用劲地按住门铃，让门铃一直发出刺耳的声音。

朝着走廊的一扇窗，窗帘微微一动。帕特里克发现后马上头一歪，示意两位队友留心。

“喂，比柏尔先生，我们必须和您谈一谈。事情与您的朋友弗莱德利克有关！”碧吉大声叫喊着，同时用拳头敲打着大门。

里面传来解铁链的声音，接着那人打开了两道锁。杨尼只把门开了一条细缝，露出红红的脸和疲倦的眼睛。

“你们想干什么？”

“弗莱德利克不见了，我们正在寻找他。也许您知道他可能在哪里。我们猜想他也许遇到了不测。”碧吉解释道。

门开了，杨尼·比柏尔倚靠在门框上。他那头蓬乱的长发似乎急需理发师用剪刀好好修剪一下，肥大的运动服皱巴巴的，也不知道多久没有清洗了。

他非常不友好地说："你们到处打听什么呀？这跟你们有什么关系？"

"我们正为弗莱德利克担心。您不担心吗？"小虎们理直气壮地看着他。

杨尼耸耸肩膀显得很无奈："弗莱德利克也许想销声匿迹，但是……"他费力地挠着后背，"但是，弗莱德利克也曾喋喋不休地唠叨过什么，好像跟那女邻居

有关……他认为，她想吓唬他，用‘亲爱的奥古斯汀’来吓唬他。”

路克有意无意地问道：“你们最近在搞合作？你们是好朋友吗？”

“我制作唱片，弗莱德利克是作曲家。他不愿意总是只为那些空洞低俗的东西作曲，而他在我这里可以随心所欲地创作。小家伙们，明白了吗？”

碧吉把话题扯回到那个女邻居身上：“您指的那个女邻居，她是不是有一条名叫舒尔茨先生的小狗？”

杨尼歪了歪脑袋说：“弗莱德利克好像提到过一条狗，还说那女人跟在他后面啦，或者别的什么。每次他谈起她总是显得心慌意乱。”

路克的脑海里呈现出昨天晚上的情形，那个“鬼魂”最后逃到了女邻居的宅地上就消失了，或许“鬼魂”就是她本人，她在自己家里脱掉“鬼魂”的行头，重新换上自己的服饰出来和路克说话。这一切不是不可能。

舒尔茨先生的女主人或许是奔着“亲爱的奥古斯汀”的宝藏而来的。弗莱德利克很有可能曾对她说起过宝藏的事，而她贪财心切，试图通过假扮鬼魂的方式来折磨弗莱德利克，逼他说出宝藏的所在地。

如此说来，美景宫前的那个偷袭者也应该是她，而假装跑步锻炼对她而言是最好的伪装，一旦情况不妙，她可以轻而易举地逃脱。

“谢谢您，比柏尔先生，您提供的信息对我们很有帮助。”路克说着向杨尼伸出了手，想与他握手告别。

杨尼并没有伸出手来，而是打了一个很大的哈欠。他耷拉着脑袋摆摆手，算是打了招呼，然后关上门，在门后扣上了铁链。

“让罗博特送我们去女邻居那儿,我们找她当面聊聊,也许能识破她的真实面目。”碧吉提出了自己的建议。

帕特里克突然问:“那个据说是老翰姆朴珥先生埋宝藏的地方,我们什么时候去看看?”

# 走向决定性的时刻

重新回到轿车上后，三只小虎深深地倚靠在轿车后座的软垫上。

“尊贵的夫人想和你们通话。”罗博特说着，将拖着电话线的话筒递给了他们。

“喂，年轻的朋友们，你们在城里干什么呀？”露伊莎奶奶问道。

碧吉接过话筒，一五一十地向老妇人汇报起来。

“那么你们找到些什么没有？”

碧吉含蓄地回答说：“也许吧。但我们有一个问题想问您：列沃珀特·奥古斯汀·翰姆朴珥安葬在什么地方？”

露伊莎奶奶好像对这个问题大吃一惊：“你们为什么要知道这个？”

碧吉觉得没有必要说谎话了，就把

他们从照片上发现的新线索一五一十地告诉了老妇人。

电话那头一阵沉默，好长一阵子，碧吉只能听到深深的叹气声。

“奥古斯汀曾多次对我说，他将会把一个秘密带入坟墓，但那个秘密不会永远封藏在那里。”老妇人终于开口了。

碧吉不禁打了一个寒战：难道为了揭密必须再次打开墓穴？她朝队友望去。

路克好像读懂了碧吉的眼神，他坚决地摇了摇头：“不能这样做。虽说这涉及到重大的秘密，但为了找到秘密宝藏就应该让死者不得安宁吗？我不敢想象。”

“奥古斯汀没有被安葬在一个独立的墓穴中，而是葬在维也纳中央公墓的家族墓地里，离圆舞曲王约翰·斯特劳斯的墓地不远。”碧吉向队友讲述打听到的情况。

路克建议：“我们先去看看家族墓地

的情况。”

碧吉将墓地的编号告知罗博特。罗博特马上明白他们想去哪里，便改变了行车方向。

罗博特驾驶着轿车在车辆稠密的马路上穿行，期间，路克的冒险小虎队对外电话接到了两个来电。

一个是杨尼打来的，他又想起了什么：“弗莱德利克曾提到，那个女人看上去非常和善，其实非常危险。你们最好离她远点。明白吗，小家伙？”

路克安慰他说，目前他们已经有了另一个目标，也就是弗莱德利克爷爷的墓地。但杨尼对此好像没

有兴趣。

另一个电话是贝尔特打来的。他的语气听起来非常焦虑，急着想知道冒险小虎队眼下在什么地方，三个人有什么打算。

路克不停地掩饰着，避重就轻地回答着贝尔特的提问。可是，接下来发生的事让路克毛骨悚然：贝尔特忽然棒喝似

的告诉他，说小虎队的轿车正行驶在什么什么街上。

路克马上向罗博特打了一个手势，让他向左转弯，可贝尔特立即就在电话里指出了这个变化。正把耳朵贴在手机边听谈话的帕特里克和碧吉马上朝四处张望，他们猜测贝尔特一定躲在他们后面的某一辆车中跟着他们。

可是街道上只有他们一辆车。罗博特拐进了一条小巷，又很快地拐入下一条小巷。周围没有贝尔特的影子，但他却非常清楚小虎们乘坐的轿车在哪里。

“你们不要再插手这件事了，马上停住。”他大声警告着。

小虎们可不愿意听从他的命令。

“我们车上是否有窃听器？”帕特里克忽然想到。

路克表示怀疑：贝尔特能够用这一手段来获悉他们正朝什么地方开去吗？

前方终于出现了环绕公墓四周的砖砌围墙。轿车开进了敞开的铸铁大门，沿着宽阔的车道行驶在墓区中。这里到处可见硕大的树冠，它们连成一片，阴森森地覆盖着整个墓区。这一片公墓就好像一个小城镇，只是这里没有房屋，只有一座座的墓茔。

车道已到尽头，三只小虎只好下车步行。他们来到了一个由灰色石灰石砌成的祷告室，祷告室外面装饰着拱门、小型尖塔和圆柱，还有小块彩色玻璃组成的玻璃窗。三只小虎好奇地看着周围的一切，把眼睛瞪得大大的。

祷告室的大门由两扇黑色的飞翼状房门组成，上面包裹着金属材料。像大家预料的一样，门是锁着的。门旁的大理石石牌上镌刻着家族姓氏翰姆朴珥，还刻有许多人的名字，最后一个名字是列沃珀特·A·翰姆朴珥。

小虎们感到不知所措。接着，他们绕着祷告室走了一圈，结果什么也没有发现。

他们又回到门口。路克认为："老翰姆朴珥所藏的东西一定在祷告室里面。"

帕特里克感到在墓地找东西一点也不好玩。

"嗨，你们好啊！"忽然有人在他们身后打起了招呼。

小虎们大吃一惊，猛然回头，就好像是遇到了鬼魂。而实际上那是弗莱德利克·翰姆朴珥。

碧吉的第一个想法是：他在这里干什么？

弗莱德利克的紫色休闲西服皱巴巴的，看上去他曾穿着这件衣服睡过觉，头发乱七八糟地耷拉在额头上，下巴上长长的小胡子也歪向一边，眼睛四周有明显的黑眼圈。他神色慌张，呼吸急促。

“你躲到哪儿去了？”帕特里克对着他大喊道，突然他想起不应该用不礼貌的“你”来称呼对方，马上就改口了，“我们为您担心死了。”

“你们找……找到什么没有？”弗莱德利克结结巴巴、费力地问道。

“没有。”

四周是一片令人窒息的寂静，只有两只小鸟的喁喁细语偶尔能打破寂静。

小虎们和弗莱德利克面对面站着，都没有说话。弗莱德利克好像在地上生了根似的，一动不动。

碧吉回头朝轿车方向看去，罗博特

应该在那里等他们的，可他却不在。碧吉记得清清楚楚，他们下车时罗博特就站在轿车旁，当她搜索祷告室一圈后回到门口时，她还看见他站在那儿的，可现在人到哪里去了？

碧吉问弗莱德利克："您好吗？"

他张开了嘴想回答，却没有发出声音。

从远处传来狗吠声。路克一下子醒悟过来：舒尔茨先生的女主人不会是"鬼魂"。

那么，"鬼魂"究竟是谁呢？

密密麻麻的墓碑间露出了贝尔特的身影，他脸色发暗，面无表情，就像一尊大理石雕像。

此时，小虎们突然发现杨尼的身影出现在不远处。他这一次例外地没有穿运动服，而是穿着一条有许多小洞的黑色牛仔裤，上身是一件旧得发亮的西服。

杨尼两眼紧盯着贝尔特，逐渐向三

只小虎靠近。弗莱德利克不断张嘴闭嘴，但没有说一句话。贝尔特将自己的右手慢慢向后伸去。

路克隐约觉得有件事不同寻常，可一时想不起那是件什么事。他的手摸到了手机，忽然他什么都明白了。

## 冒险小虎队· 秘密记录

1. 为什么说女邻居不可能假扮“亲爱的奥古斯汀”？

2. 路克忽然明白了什么？

# 墓地上的较量

碧吉又朝轿车方向看了一眼，这一看，差一点叫了出来：她看到了两条套在蓝色裤子中的腿躺倒在灌木丛中。

罗博特！他肯定是遭人暗算，被下了麻药了。

赶快离开！这是碧吉心中此时此刻唯一的愿望。

“我们最好赶快离开这儿……”帕特里克小声说着，内心充满了无名的恐惧。

只有路克不动声色，他突然指着杨尼，大声说：“你就是那个‘鬼魂’！”

“你们别动！”杨尼如同鬼魅般地冲过来，死死地拽住了碧吉的胳膊。

“放开她！”帕特里克顿时忘记了心头的害怕，愤怒地向杨尼扑去。

杨尼抬起一脚，帕特里克一个踉跄向后退去。

贝尔特掏出了一支小手枪，斜举在半空中，但还没有拿定主意是开枪还是不开枪。

“把它扔了！”杨尼命令道，“这个小家伙是我的人质。一旦我亲手拿到了那笔宝藏，我就放了她。”

“你马上把那女孩放了。”贝尔特厉声喝道。

杨尼发出一声嘲弄的冷笑，这是他唯一的回应。他转身面向路克：“你，小机灵鬼，快去，你知道老翰姆朴珥把东西藏在什么地方，快去拿来！”

路克满头冷汗，他的眼镜已经滑到了鼻尖。

“我们……其实……我们也没弄清楚。”

杨尼用力拽住碧吉的胳膊，疼得碧

吉大叫“哎哟”。

“闭嘴，小傻瓜！”接着，杨尼面朝贝尔特大声叫道，“把你手上的那个玩意儿扔过来，知道吗？”

弗莱德利克用牙齿咬着手指甲，终于开口说道：“你把那女孩放了，杨尼。你可以得到所有的东西，但你得把她放了。”

“只有等我拿到东西后我才会放她走。”

四周看不到有人能出手帮助小虎队。

“就是你假扮‘亲爱的奥古斯汀’吓唬弗莱德利克，也是你拘押了他，逼他打电话给我们，叫我们放弃。你还在电话里威胁我们，这一切全是你干的！”路克大声指责着杨尼。杨尼听后只是一阵冷笑，意味着他默认了。

“他把什么都告诉了你，他还以为你是他的好朋友。”

杨尼做了一个怪脸，好像这些话对

他来说全是废话。

“老奥古斯汀曾一再告诫弗莱德利克，一再提醒他，如果听到那段乐曲就该远离这里。”贝尔特开始轻声地说话，好像在自言自语。他用一只眼睛对三只小虎暗示着什么。

小虎们马上领悟了他的意思：“逃走！”这是老翰姆朴珥先生一再告诫他孙子的话：如果你听到这段乐曲，就赶快逃走。

贝尔特撮起嘴唇，用口哨吹起了那首忧伤的乐曲。

“你闭嘴！”杨尼朝他呵斥，他的双手依然紧紧地拽着碧吉的双臂。

这时，碧吉出人意料地向前纵身一跃，试图挣脱。杨尼急忙跟着前倾，抓住了碧吉的手腕。

与此同时，杨尼的腿上遭到了重重的一击。是帕特里克做了一个鱼跃的动作，像橄榄球运动员一样朝着他的腿猛扑过去。杨尼把碧吉当做人体立柱，终于使自己保持了站立的姿势。而碧吉的身体再次朝前冲，想挣脱杨尼的手。

帕特里克卧倒在地上，收拢手臂和双腿，整个身体蜷曲着，就像一块坚硬的绊脚石，试图阻止杨尼的步伐。

碧吉还在不停地挣扎，杨尼则使劲地扯住碧吉，两人跌跌撞撞地扭在一起。帕特里克一个翻身，用双手死死抱住

杨尼的腿，杨尼失去平衡，倒向一边。

这下杨尼不得不松开碧吉，同时转身想逃。帕特里克马上跳了起来挡住他。此时贝尔特也快步冲到杨尼身旁，按住了他的肩胛骨。

“快走！”贝尔特朝着小虎们高声叫喊，“你们快走！”

“你想独吞宝藏吗？”杨尼咬牙切齿地说了一句。

弗莱德利克走到杨尼面前，恨恨地说：“是他……他把我锁在他的地窖中。”

弗莱德利克把杨尼当成好朋友，向他谈起了神秘的宝藏，而杨尼则利用这些信息试图找到宝藏并占为己有。要不是小虎队插手此事，他都快得手了。

“快走！”贝尔特再一次下了命令。

小虎们能信任他吗？

罗博特扶着轿车站了起来，他那平时无可挑剔的发型此时已凌乱不堪。他两眼惺忪，像是还没有睡醒。杨尼肯定给他上了麻药。

“我们叫警察吧。”路克作出决定。

“不要！”贝尔特和罗博特异口同声地喊道。就连杨尼也苦苦哀求起来。

“你根本不会帮我出唱片，我真是昏了头，竟会那么信赖你？”弗莱德利克的语气中有点失落感。

“没有人会买你那些古里古怪的音乐。”杨尼回敬他说。

贝尔特拽着他的衣领把他拉了起来，说：“你马上给我滚。如果你离弗莱德利克·翰姆朴珥不到十公里，我就把你送进监狱。我一直会盯着你的。”

杨尼不服气地盯着贝尔特，那神情活像一个撒野的小男孩。他甩开贝尔特正在松开的双手，跌跌撞撞地走了。

杨尼蹒跚的脚步声渐渐在远处消失了。三只小虎、弗莱德利克、贝尔特和罗博特站立在那里，相互看了看，都没有吭声。

“现在怎么办？”碧吉问道。

贝尔特飞快地把手枪插入西服内的枪套中，挺了挺胸，说：“先请你们告诉我，你们到底知道些什么？”

路克狡黠地微微一笑：“我们来个交换，拿我们的消息换你的消息。”

贝尔特稍微思考一下后点点头。他把手伸进了西服的内侧口袋，取出一只不显眼的棕色信封：“这就是宝藏！”

三只小虎震惊不已。

“这信封里有一张支票，上面的面额是七位数的。”

“一百万？”帕特里克低声叫道。

“这钱归弗莱德利克所有，如果他能向我出示他爷爷藏起来的东西。”

弗莱德利克毫无主张地耸了耸肩膀说：“但是……但是我……一点也不知道

呀。”

碧吉指着墓地祷告室说:“那里面就藏有您爷爷称之为的‘宝藏’的东西。”

“在墓室里?”弗莱德利克的话音还带有几分疑虑。

“您有打开祷告室门的钥匙吗?”路克耐心地问道。

弗莱德利克缓缓地点点头。

“您能把钥匙拿来吗?”

这下弗莱德利克摇了摇头。过去几天发生的事把他搞得头昏脑涨,直到现在他还无法理清思路。小虎们束手无策地与贝尔特交换了一下眼神。

路克走到门前,开始仔细地研究这扇门;碧吉在他后面看着。

“我想,我知道如何打开这扇门了。”碧吉说道。

大家耐心地听她讲解她的惊人发现。

## 冒险小虎队· 秘密记录

想打开门，必须拥有两把非同寻常的钥匙。是哪两把钥匙？它们在哪儿？

# 奥古斯汀的秘密

碧吉微笑着走到神情恍惚的弗莱德利克面前说："您知道钥匙在哪里，对吗？"

弗莱德利克迟疑了一下，慢慢地点头称是。

"我来取，行吗？"碧吉指了指他那件皱得走样的紫色休闲西装。

弗莱德利克又点了点头。

四枚徽章给人感觉是那么的冰凉和沉重。碧吉取下大象徽章和眼睛徽章，把它们递给了路克。

"它们是吸铁石。"路克激动地说。作为一个业余技术专家，他已经明白那是什么类型的锁了。只有借助这两块吸铁石才能打开锁。

弗莱德利克神经质地说："爷爷告诉我要一直佩戴着它们。"

路克将两块吸铁石放在大门相应的图案上，紧张地屏住呼吸。好几秒钟过去了，但没有动静。

"你弄错了吧。"帕特里克失望极了。

贝尔特叹了口气。

这时，从门里面传来了金属摩擦的"丝丝"声和"咔咔"声，好像有许多齿轮在转动，正在打开锁的机关，里面的杠杆正在活动。

不一会儿，祷告室的大门就像是由鬼魂打开的一般，向两边慢慢开启。浑浊发霉的空气从里面冲了出来，向小虎们迎面扑来。

墓地祷告室的内室空荡荡的，地面上依次摆放着大理石的石板，每一块几乎都是一米乘以两米见方，上面都刻着死者的名字。

既看不到木制的棺材，也没有豪华的石椁，只是在地板和墙壁上跳动着各种颜色的光点，那是太阳光透过彩色玻璃窗映射出来的。

入口正对面的墙壁上刻画着许多长方形图案，这些图案雕刻得非常精细。如果一个人长时间地盯着这些图案看，它们就会显得飘忽不定。

“请稍等。”帕特里克慢慢地靠近那面墙，小心翼翼地，就像那围墙会咬他似的，接着他伸出双手，从其中一块长方形的图案上取出了一个扁平的匣子，郑重地将它递给路克和碧吉。

“孔穴的外形与颜色和匣子浑然一体，藏得太妙了。”路克赞叹道。

弗莱德利克马上明白了该怎么打开这个小匣子。他从衣领上取下钢琴徽章，塞入匣子正面的一条细缝中，匣子锁的机关发出“丝丝”的响声，紧接着盖子弹了起来。

虔诚肃穆的时刻到来了。先是所有眼光相互对视了一下，而后大家慢慢地低头去看匣子中的东西。

小虎们的视线被挡住了，因为贝尔特已将手伸向了匣子。他从匣子里取出一个由一条绿带子捆绑着的绿色包裹。

帕特里克想推开贝尔特的胳膊。在他看来，这个男人是个骗子，想独吞宝藏。

“别动！”贝尔特强硬地制止了帕特里克。接着，他示意小虎们去看匣子里面的东西。有两样东西清晰可见：一张老翰姆朴珥的照片，还有一张纸条，上面写着：

**交给贝尔特——作为履约的交换条件！**

“拿着！”贝尔特将藏有支票的信封

递给了一直沉默不语的弗莱德利克。接着，他取出一个打火机，对准了那个绿色小包裹，很快它就燃烧起来。在耀眼的火光中，依稀可见一沓厚厚的照片，它们被烧得卷起了边。

“您为什么要这样做？”碧吉将两手叉在腰间，责问道。

尽管照片已成了薄薄的灰烬飘落在地上，但贝尔特还用鞋尖把它们碾得粉碎。那些照片就成了大理石地面上的黑色灰迹。

“您是间谍！”路克朝着贝尔特大声说道。但没有人回答他。

“在好多年前，列沃珀特·奥古斯汀·翰姆朴珥被迫充当间谍。”贝尔特没有朝小虎们瞧上一眼，就开始述说，一边还在忙于清除照片的残片，“那是一个令人尴尬的任务，因为他要找出自己祖国的机密告诉敌人。”

“爷爷是间谍?”弗莱德利克捻着自己长长的山羊胡子,心乱如麻。

“假如不当间谍,他又怎么能够给自己弄来这么多的财富和精密玩意儿?”贝尔特把手伸进小匣子,取出一个装置,这是路克从来没有见到过的东西。

这一装置就像一个扁平的U形小盒子,中间有一个管状的突起物,上面安有玻璃透镜。从小盒子里伸出一根长长的电线,它的顶端有一个类似注射器一样的按钮。

“这是什么?”帕特里克问道。

路克又看了一眼后就明白那是什么了:“是一架老式的间谍照相机,对吗?”

这一回答使贝尔特大吃一惊。他把U形的小盒子挂在脖子上,它显得非常贴身。

“当时还没有数码照相机,那时候的照相机大得像个篮筐。奥古斯汀就天才般地制造了这架间谍照相机，把它藏在衬衫衣领下，而镜头就在他的领带中。这个是按键装置……”说着，他拿起了电线，按了一下按钮，只听小盒子发出了“咔嚓”的响声，“就这样，他可以在与人交谈时悄悄地拍下对方的照片。”

碧吉终于明白列沃珀特·奥古斯汀·翰姆朴珥干的是哪一行了：“他拍摄了谁？肯定是很有名气的人物吧？”

“你猜对了，小姑娘。奥古斯汀拍下了许多顶级间谍的照片，并反戈一击：不是继续做间谍，而是让他们给他掏腰包，否则就把这些照片公布于众。对许多有点名气的人来说，那可是非常不舒服的事情。即便是现在，公开这些照片也会造成严重的后果。几天前我收到了一封奥古斯汀临死前写的信，而这封信直到现在才寄到我这儿。信中他向我提议，我可以获得我的委托人极其希望毁掉的照片，但我必须按商定的数目将钱交给他的孙子。奥古斯汀生前和我打了多年的交道，他非常信任我，就同那些愿意支付这么多钱的人一样信任我。”

“他把照片藏得真妙！”帕特里克赞叹道。

这一点，贝尔特也表示赞同：“即便是间谍老手也没有能成功地找到这些照片。奥古斯汀清楚地知道，怎样才能让他不知内情的孙子弗莱德利克成为帮手。”

弗莱德利克用两个手指挑开信封，朝里看了一眼。支票上的数目又让他兴奋不已。

他高兴得欢呼起来：“哈哈，有了这笔钱，我就可以自己独立制作音乐唱片了！再说，爷爷的别墅也是非常值钱的。”

“有关奥古斯汀的故事就说到这儿吧。亲爱的奥古斯汀，他可以安息了！”贝尔特象征性地鞠了个躬，便打算离开。

“等一下！”帕特里克叫道，并拽住了他的衣袖，“那首歌曲是什么意思呢？那是警告吗？”

贝尔特第一次放声笑了：“那是间谍们之间的暗号，用来提醒对方他已经被认出了真实身份。奥古斯汀非常害怕这首曲子，就和其他所有的间谍一样。他还把这种恐惧传给了弗莱德利克。”他已经走到了门口，但转过身，挥挥手说道，“再说，贝尔特当然是一个假名字；那手机号码，你们知道的号码，也不再存在了。我也从来没有来过这里。”

说完这句话后他就消失了。

三只小虎目瞪口呆地望着他离去的方向，久久不能言语。

“这件事从头至尾都太不可思议了！”帕特里克摸着脑袋嘀咕着。

“谢谢你，亲爱的奥古斯汀。”弗莱德利克说着，悄悄拭去了眼角流出的激动

的泪水。他在爷爷的坟前默默地鞠躬，爷爷是多么的爱他，在死后多年还如此照顾他。

路克把空盒子递给了弗莱德利克："这该怎么处理？"

弗莱德利克将小盒子又放回了墙壁中："就让它和他待在一起吧！"

当一行人从墓地祷告室出来时，太阳正好从厚厚的云层后面露出脸，像大功率的探照灯一样直射着地面。

弗莱德利克许诺说："我会给你们报酬的。你们明天到我这里来取钱。我还要为你们创作一部新作品：一部为数码照相机谱写的交响乐。我把它命名为'奥古斯汀交响乐'！"

帕特里克、路克和碧吉齐声欢呼。他们可以用这些钱更新秘密据点中的设备了。他们对弗莱德利克的新作品也非常感兴趣。

小虎队这次可是破获了一起非同寻常的案件，他们感到非常自豪。他们的格言又一次得到了证实：

小虎，小虎，
绝不马虎！
小虎，小虎，
生龙活虎！

## 冒险小虎队· 秘密记录

匣子藏在哪个长方形的图案里？

# 超级成长版

冒险小虎队（短篇小说）

# 夜访“鬼屋”

MAOXIAN XIAOHUDUI

# 停电之后

已经是伸手不见五指的夜晚了。一棵倒下的树使得全市的主要供电线路全部瘫痪。整个城市陷入了一片漆黑之中。

碧吉还想继续阅读那本引人入胜的惊险小说。所以,她找到一个插着几根蜡烛的烛台,走回了自己的房间。

在忽明忽暗的烛光下,碧吉读得津津有味。小说中的男主人公可以用冰冷的目光把一切人和物马上冻成冰块。

"嘎嘎嘎!"突然传来了怪异的声音。

碧吉吓了一跳,连忙抬起头。发生了什么事情?

"嘎!"

过了一会儿,这种声音又响了起来。这是从她的书桌抽屉里发出来的。

碧吉的心怦怦直跳。她缓缓地站起来，走到书桌前，然后用指尖拉开了抽屉。一道绿色的光线在圆珠笔和橡皮收藏品之间闪烁着。

碧吉松了一口气。这光线是从她的无线电对讲机里发出来的。

可是，谁会在这个时候用无线电联系她呢？她按下通话键，说道：“我是碧吉，请说话。”

一个低沉沙哑的声音从听筒里传了出来：“你别无选择。我现在就来。”

碧吉的手指紧紧地抓住对讲机：“谁……你是谁？”

“我的手是冰冷的。我用它碰碰你，你就会完蛋！”对方的声音也是冰冷冰冷的。

“什么意思？”碧吉尖叫着。

“你有一些属于我的东西。我必须把它拿回来！”冰冷的声音继续说道。

“是什么东西？”

“它是黑色的，非常厚，表面粗糙不平，此外它只有一只眼睛！”来电者继续用阴冷的语气回答。

碧吉愤怒地吼叫着：“路克，是你吗？”

那边传来了响亮的笑声。

“该死的路克，我真的要被你吓死了。我看的书里恰好有这么一个恐怖的家伙！”碧吉连声抱怨。

“我知道，所以我用这样的方式来找你。”路克解释道，“我只想提醒你，你把我的夜视镜借走两个星期了。我想明天要回它。”

“没问题。”碧吉答应了。

碧吉从书架上拿下夜视镜，把它放在自己的书包旁边，这样明天去上学就肯定不会忘记了。

不知为什么，碧吉又一次拿起了夜视镜，把这个活像老式照相机的东西放到眼睛前。

尽管房间里非常昏暗，她还是可以清晰地看到家具的轮廓。她走到窗户旁，向外面的夜空眺望着。

夜视镜里，许多房子和附近的那座山丘发出了绿色的光芒。因为夜视镜里

安装有一个望远镜，所以碧吉也能非常清楚地看到远处的建筑。

她的目光停留在一幢老式房子上，它很容易让人想起恐怖电影里的别墅。碧吉知道，这幢房子从许多年前就已经没有人居住了，所以它被人称为“鬼屋”。

“嘿，可这真是奇怪。”碧吉自言自语。

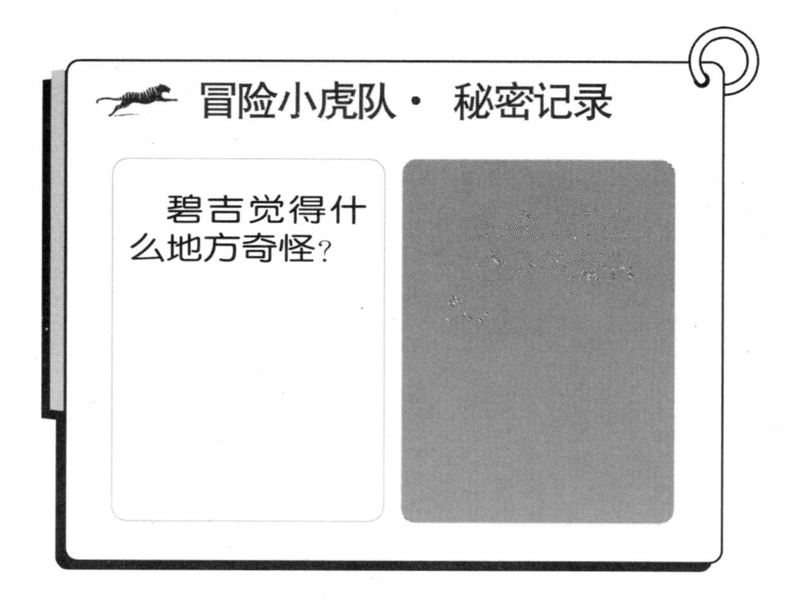

# 禁止入内的"鬼屋"

碧吉马上给她的队友发了秘密短消息，约他们出来。短消息是这样的：

| 一 | 日 | 星 | 将 | 小 | 有 |
|---|---|---|---|---|---|
| 来 | 时 | 在 | 时 | 去 | 多 |
| 好 | 儿 | 后 | 有 | 在 | 不 |
| 去 | 须 | 句 | 数 | 文 | 鬼 |
| 屋 | 挑 | 碰 | 应 | 丰 | 这 |
| 无 | 太 | 空 | 头 | 春 | 日 |

一个小时后，三只小虎各自带着手电筒，一起站到了这幢老房子前。

"你看到的肯定是根粗大的树枝！"帕特里克怀疑地看着眼前的"鬼屋"。

碧吉推开双手，不高兴地说道："我还是可以分清树枝和监控摄像头的！"

"你真的肯定吗？"两个男孩还是不太相信。

"懒得理你们！"碧吉火了。

不过她不得不承认，眼前的这幢别墅的确无人居住，看起来已经完全废弃了。有些窗户用木板钉死了，余下的几扇窗户也紧紧地关闭着。

"烟囱里也没有冒烟。"路克摇摇头说。

"我也没有找到那个摄像头。"帕特里克耸了耸肩。

"你们的眼珠子都变成西红柿了吗？"碧吉从鼻子里哼道。但是话音未落，她自己也变得尴尬起来。现在她也看不见那个摄像头了。不过，她马上就知道了原因。小虎们站在别墅的这一边。而刚才碧吉从窗户里看到的是房子的另一边。

她挥挥手，示意男孩们跟着过来，然后从两根弯曲的栏杆中间穿了过去。

花园里一片荒凉，只长着一些野草和攀缘植物。帕特里克拿着一根树枝在地面上摸索着。

他们小心翼翼地行动着，必须保证不发出“啪哒啪哒”的声音。走了没几步，他们便被挡住了去路。大家用手掌触摸着这个障碍物。

“天哪，这是一张用很细的铁丝制成的网。这张铁丝网细得就像蜘蛛网。”连见多识广的路克也很惊讶。

“干吗要这样围起来？”碧吉很好奇。

路克耸了耸肩，他也不知道。

帕特里克把手电筒向上照了照，吃惊地发现：“这张网一直连到屋顶呢。”

“为什么要搞这么一张严密的网?”碧吉追问道。

“可爱的碧吉小姐,如果我们知道的话,就成万事通了!”路克苦笑着说。

碧吉做了一个鬼脸,从包里拿出一根榛子巧克力棒。它不仅能解馋,在她紧张的时候还有镇定情绪的作用。

突然,一声尖叫划破了寂静。这个声音既尖锐又刺耳,听起来极其绝望。

被吓呆了的三只小虎你看看我,我看看你,不知如何是好。

“有人在那里吗?”在叫声消失以后,帕特里克用颤抖的声音问道。

“不,这听起来更像是动物发出的声音。”路克小声说,“不过我不知道,哪种动物会发出这样的叫声。”

碧吉沿着铁丝网继续往前走。她发现了一条裂缝,便用手掰开并使劲挤了进去,然后准备悄悄地靠近别墅。

“别过去！前面有危险！”帕特里克冲她低声喊道。

但碧吉摇了摇头。她无论如何也要找出住在这座房子里的人是谁。“典型的男孩作风，肌肉强壮，胆小如鼠！”碧吉回头朝两个男孩低声挖苦了一句。

对碧吉的嘲笑，帕特里克并没有生气，而是说道：“我想你是对的。这幢别墅并不是没有人居住，而是有人试图用尽一切办法来阻止不速之客的到来。”

## 冒险小虎队· 秘密记录

1. 碧吉给队友发的秘密短消息是什么内容？请使用“暗语破译卡”。

2. 帕特里克为什么这样说？

## 夜视镜里的恐怖景象

这些看家狗就像接到了指令一样冲了出来。它们狂吠着，龇着锋利的牙齿扑向碧吉。

碧吉背靠着别墅冰冷的墙壁，惊恐地瞪着这些狗。

突然，她的脑海中闪过一个主意。她把手中的榛子巧克力棒扔向恶狗。

奇迹发生了。其中一条狗停止了狂吠，贪婪地把巧克力棒叼走了。

“拿着！”碧吉喊道，这次她把手电筒扔了出去。第二条狗扑了上去。

帕特里克和路克此刻也挥舞着自己的手电筒，并发出了呼呼的声音。当他们把手中的东西往远处一扔时，那些狗马上冲了过去。他们成功地转移了狗的注意力，然后挤进了铁丝网。

但小虎们现在完全站在了黑暗里。对他们而言，要重新走出铁丝网难于上青天，没有了手电筒，他们刚才爬进来的那条裂缝也看不到了。为了安全起见，他们爬进一个开着窗户的地窖。在那里他们暂时可以避开那些看家狗了。

还没等他们把窗户关上，那些看家狗已经跟了过来，在窗户外乱叫乱撞。

"我们得离开这里！这些狗会把窗户撞破的。"碧吉急忙说。

"出去？到哪里去？你知道门在哪里？"帕特里克在黑暗中嘟囔着。

"嘿，那个夜视镜……我把它带来了！"碧吉像找到了救星似的，激动地叫起来。她从背包里拿出夜视镜，并把它打开。她把夜视镜举到眼前一看，就知道自己所处的位置了。

这是一个摆放着许多高架子的地

窖。这些架子现在全都是空的。地窖的另一边有一扇门。

“你们扶着我的肩膀，我来带路。”她对两个男孩说。

他们离开了这个散发着霉味的地窖，走进一条低矮的走廊。走廊的尽头是一个楼梯。

“嘘，有人。”碧吉示意大家停下脚步。

“行动非常成功，我们的雇主一定会很满意的！”他们听到楼梯上面的房间里有一个男人在说话。

“那些动物像蜗牛一样没用。它们不过是徒有其表，看起来凶猛，实际上都是些中看不中用的东西。”另一个男人说。

门开着一条细缝，手电筒明亮的光圈在跳动着。嘎吱嘎吱的脚步声变得越来越轻。两个男人走远了。

碧吉冒险把头伸进了门缝里。在夜

视镜的帮助下，她还能看到他们的背影。

“这两个人在说什么？”帕特里克现在是一头雾水。

路克皱起了眉头：“他们似乎在说关于动物的事，好像是违法的，而且很危险。”

隔壁房间里传来了一阵动物抓挠东西的摩擦声，接着又传来了动物的叫声。

小虎们踮起脚尖，走到了隔壁房间的门前。可惜门上没有一个可供窥视的锁眼。

"如果我们想知道房间里有什么东西,就得把门打开。"路克悄声说。

碧吉拿着夜视镜的手在发抖。

"夜视镜能抓拍图像。"路克对碧吉说,"我把门打开一条小缝,你把夜视镜塞进去,按下快门,然后马上把它拿出来,到时候就能看到拍下来的东西了。"

"OK!"碧吉深深吸了一口气,做好了准备。两个男孩数到三的时候,就把门打开了。这时,从房间的四面八方传来了抓挠和刨刮的声音。一种粗糙的东西擦过了碧吉的手。她惊恐地把手缩了回来。

"你按下快门了吗?"路克问道。

碧吉不答,紧张地向夜视镜里看去。

"里面是什么东西?"路克和帕特里克同时问。

碧吉的脸色变得煞白。

## 冒险小虎队· 秘密记录

什么东西让碧吉如此害怕？

# 巨型变异昆虫

“这……这怎么可能?这些虫子至少有西瓜那么大。”碧吉结结巴巴地说。

路克解释道:“有一些疯狂的家伙专门搞这种动物变异实验。没人知道动物的基因被改变后会有什么后果。”

“我们必须马上报警。”碧吉说着拿出手机,拨打了报警电话。

“是谁在那儿?”小虎们的身后传来了质问声。三个人惊恐地回过头,把双手拢在额头前,因为强烈的灯光刺得他们睁不开眼睛。

三只小虎被粗暴地推进了那个养着许多巨型昆虫的房间里。房门随即被关上并反锁了。

“你打算怎么处理他们?”一个男

人问。

“我想用我们的小宝贝们把他们解决掉。”另一个人说。

路克从碧吉手里夺过夜视镜，向着声音传来的方向看去。这些昆虫比小虎们想象的要大得多。它们上下挥舞着螯，长满刺的足在木地板上拖动着。它们已经越来越近了。路克吓得大口吸气。

“快跑！”碧吉尖叫。

“真聪明，怎么跑？”帕特里克反问。

三个人紧贴着房门，昆虫在地面摩擦和刨刮的声音变得越来越响。现在大概连睡着的昆虫也醒过来了。

碧吉用夜视镜看了一眼，不禁打了个寒战。

帕特里克觉察到了她的恐惧，小声说道：“闪到一边去，快！”说着，他猛烈地向房门撞去。一股钻心的疼痛掠过了帕特里克的肩膀。他咬紧牙关，退后几步，再一次发力撞向房门。这一次，腐烂的木头发出了断裂的声音。第三次撞门的时候，房门终于被撞穿。三只小虎从撞开的门洞里钻了出去。他们急匆匆地登上楼梯，跑到上面的房间。

“地上好像有东西，快捡起来！”碧吉喊道。

路克弯下腰，摸到了一张折叠的图纸。他把图纸展开，然后递给碧吉。

“这是一份地图……一份别墅地图。”碧吉用夜视镜看了一眼后说。

“太好了。这幢别墅非常大，我们必须找到一条出路。有地图就好办了。”路克从碧克手里拿过夜视镜，开始观察他们所在房间的四面墙壁，然后仔细研究起地图来。

## 冒险小虎队· 秘密记录

小虎们正在哪个房间里？

请参考书后“小虎工具房”中的“鬼屋”示意图。

## 迷宫追逐战

“你知道我们该怎么出去吗？”帕特里克问道，一边紧张地摇晃路克的胳膊。

“嗯……是……我想我知道了。我们绝对不能回到地窖里去。我们必须找到出口。”路克结结巴巴地说。

碧吉和帕特里克紧紧地贴在路克的身旁。路克则通过夜视镜辨别方向，给队友们指路。

屋子里一片寂静，死一般的寂静。那两个男人已经走了吗？还是他们潜伏在黑暗中的某个地方？

“走，继续！”路克低声说道，带着碧吉和帕特里克穿过一个又一个房间。

这幢别墅非常大，人在里面就像走进了一个迷宫。

“他们逃走了！”小虎们听见有人在喊。

“我们是不是快到出口了？”碧吉问。

路克没有马上回答。

“怎么了？”帕特里克急切地问道。

他们身后响起了重重的脚步声。

“我……我不知道我们在哪里！”路克坦白道。

碧吉和帕特里克害怕得目瞪口呆。

脚步声越来越近。

## 冒险小虎队· 秘密记录

第 192—193 页的图片展示了小虎们走过的房间，用“小虎工具房”中的“鬼屋”示意图找出他们现在所处的位置。

## 没有出口

脚步声变得越来越响。

“决不能让这三个捣蛋鬼逃出去，否则我们会有大麻烦的！”一个男人恼怒地说。

“我可不想失去即将到手的钱。”另一个人说。

“明天晚上一切就会结束，在这之前，谁也不能把这里的情况泄露半个字。所以我们一定要逮住他们！”

“反正他们找不到出口。”

路克示意伙伴们镇定，因为他已经找到了大家所处的位置。这里离出口确实不远了。路克的膝盖软绵绵的，双腿不住地发抖，但他努力保持平静，不让自己陷入混乱中。

“快点！”碧吉和帕特里克同时冲着

路克低声喊道。

路克举起夜视镜，他的目光不停地从地图上扫到房间里，又从房间里扫到地图上。

“他们在那里！”一个男人叫道。小虎们看见手电筒的光线在墙壁上来回跳动。

“出口！”帕特里克喘着粗气，指着被手电筒光照亮的右边墙壁，兴奋得声音都发抖了。

两个男人朝小虎们奔来。

小虎们冲到门边，一把拉开门，冲进了寒气逼人的夜色中，在一条石子路上狂奔。

那道用来阻止巨型昆虫逃走的铁丝网，此时变成了小虎们逃生的唯一通道。他们沿着铁丝网毫不费力地找到了花园的大门，跑到了马路上。

两个男人并没有停止追逐。他们粗

重的喘气声越来越近。

"抓住他们,鲁道夫!"那个落在后面的男人大声喊道。

在漆黑的街道上,夜视镜也帮不了小虎们什么忙。

两个男人举着闪亮的手电筒,眼看就要追上来并抓住他们了。

"我逮住他们了!"小虎们听到鲁道夫激动的声音。

就在这时,小虎们面前突然出现两束灯光。有辆汽车转了个弯朝他们开过来。车子停下来,车门打开了。

"发生了什么事?"一个洪亮的声音问道。

两个男人见状拔腿就逃。小虎们则拖着蹒跚的步伐向这个声音走了过去。

"请您帮忙报警,快!"帕特里克上气不接下气地请求道。

几分钟后,警车闪着蓝灯呼啸着到

达了。几乎与此同时，全城的灯都重新亮起来了。别墅前面很快就聚满了警车和好奇的人群。

碧吉的目光从人群中扫过。忽然，她指着一个地方大声喊道："那两个罪犯

就在那儿！”

因为小虎们的指认，两个男人当场就被逮捕了。

巨型昆虫被送到了特别的动物保护站进行照料和观察。那个疯狂变异实验

的主谋也被逮捕归案。

这些无赖原想借助高科技的电子装置控制这些昆虫来进行抢劫。谢天谢地，这个骇人的计划终于被阻止了。

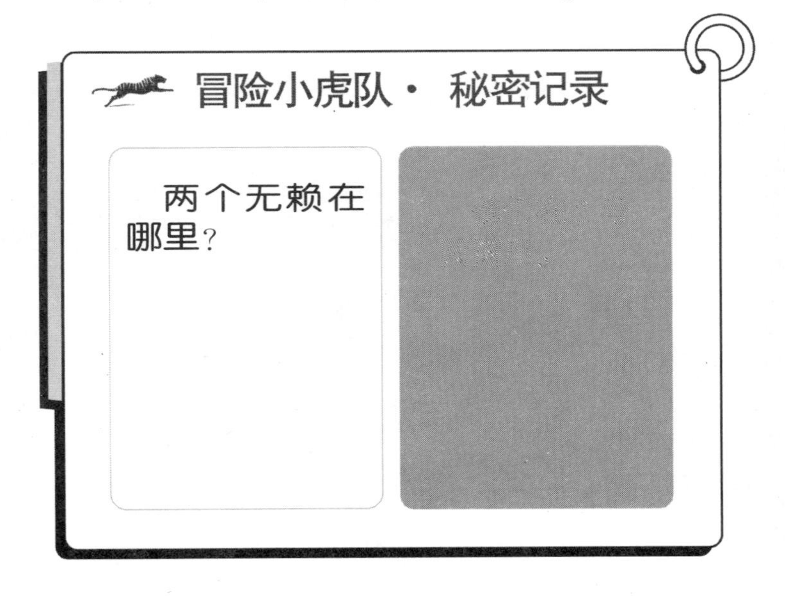

超级成长版

冒险小虎队

# 请你来破案

MAOXIAN

XIAOHUDUI

## 案件 1 提琴美女

一位姑娘拎着大提琴从音乐厅走出来，帕特里克看到了，马上从嘴里吹出一声响亮悦耳的口哨。他大声地开玩笑说：

“喂，美女，来做我的新娘吧！”他的队友碧吉朝他扮了一个鬼脸：“少来那一套！”

过了一会儿，音乐厅里传出了刺耳的警报声。许多观众的财物被人偷走了。小虎们感到那个女大提琴手非常可疑。

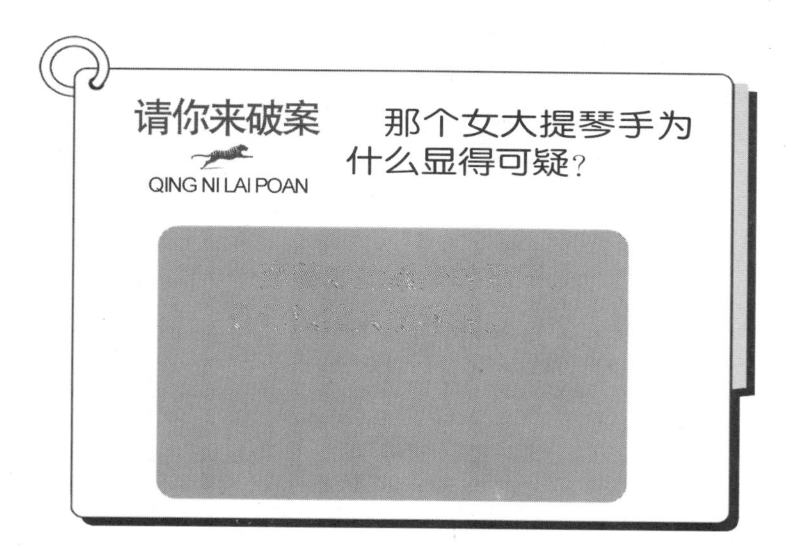

## 案件 2 消失的研究者

里古斯特博士遭人绑架并失踪了。小虎队决定去他家里看看。在那里,他们发现了一只饿坏了的小狗,碧吉马上给

它喂了水和食物。

这时出现了一位女士，自称是里古斯特博士的管家。

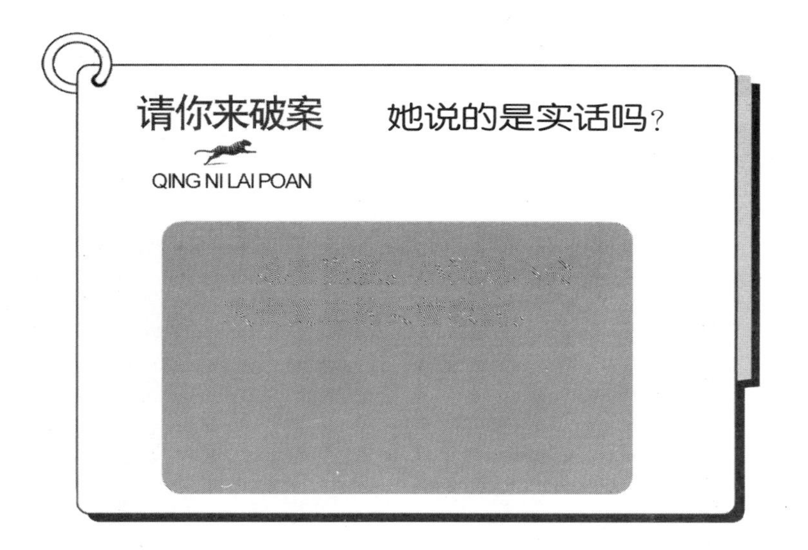

# 案件 3 跟踪追击

一轮圆月刚刚升起。几个盗贼偷了一尊金像后逃入森林。冒险小虎队恰巧路过,他们发现盗贼后马上跟踪追击,可

在进入森林以后，却把目标弄丢了。他们曾听窃贼说要向东跑，逃到小教堂里去。

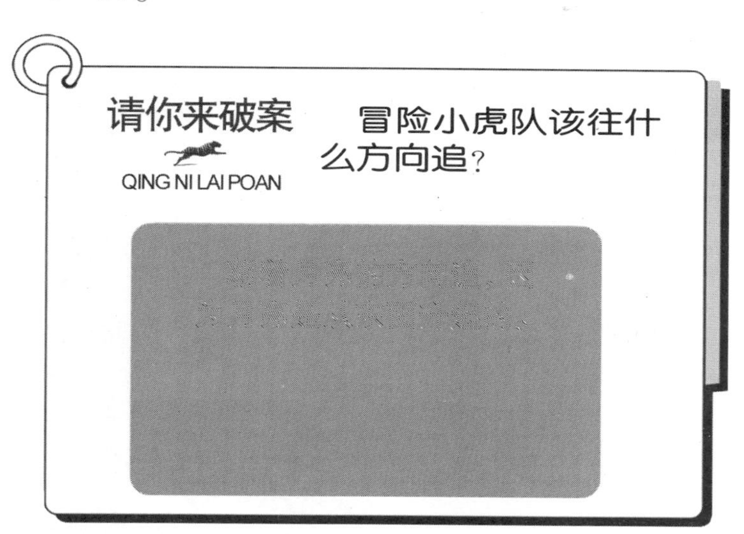


## 案件 4 百万遗产

四十二年前，当泰勒·帕奇还是一个婴儿时，不幸遭人绑架，从此杳无音信。泰勒的父母非常富有，他们去世后，冒出了五个成年男子，每个人都声称自己是真正的泰勒·帕奇，应该继承遗产。

冒险小虎队将泰勒·帕奇的婴儿照片与五个男子进行了比较。

## 案件 5 宴会闹鬼

冒险小虎队应邀出席了温歇曼家的盛大晚宴。晚宴上发生了一件怪事：一个只闻其声、不见其人的“幽灵”不请自到，并扬言，客人中不久将有一个人会死去。小虎们搜查了整个房间，既没有找到录音机，也没有发现播音喇叭。

请你来破案

QING NI LAI POAN

“幽灵”的声音是从哪里发出来的?

超级成长版

冒险小虎队

# 超级破案绝招

MAOXIAN XIAOHUDUI

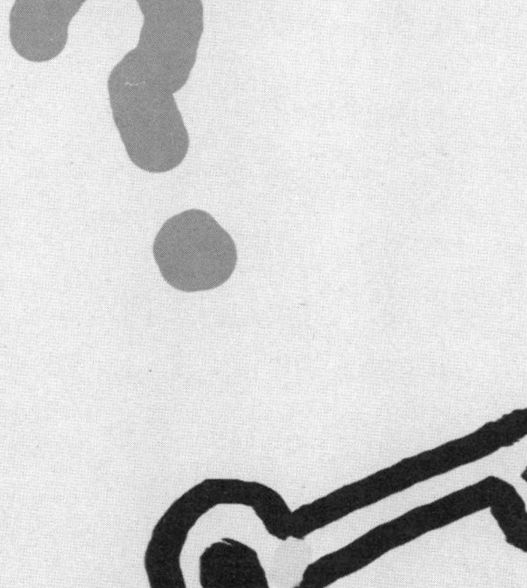

# 冒险小虎队的藏物秘诀

## 藏在汤锅里

你观察过没有，热汤冷却后会变成什么样?如果锅里油脂很多,就会在汤的表面结成一层厚厚的油脂膜。那么,就可以把东西藏在其中。比如在热汤锅里藏钻石,油脂冷却后,油脂膜就可以遮盖这些珠宝,使人看不见。

又有谁会想到汤锅里还藏有宝贝?即便打开锅盖也不会发现这一奥秘。

## 藏在抽屉底部

拉开橱柜或写字桌的一个抽屉。大多数抽屉的底部有一个凹进去的空隙。空隙不大,却是藏东西的理想地方,比如秘密图纸。用一段牢固的胶带纸把它固定好，即便有人开抽屉也不会发现。或许你的某个爱好侦探活动的同伴知道这种藏物秘诀，就会把图纸取走。这种传递东西的方法非常巧妙。

## 藏在书包底部的夹层中

在书包底部做一个夹层是轻而易举的事情。找来一个包装纸箱，从上面剪下一块和书包底部一样大小的硬纸片，通常要略微大一点，可以固定在里面不致松动。在夹层中可以存放秘密笔记本。重要的提醒:书包里要放足东西,否则容易暴露夹层。

**藏在镜框里**

大多数镜框有一个可以打开的后盖。相片和后盖之间就是理想的藏物处。

**藏在鞋底**

你穿的鞋有鞋垫吗?

有?那就太好了。

如果没有也不成问题,自己用毛毡或皮革做一双,放在鞋子里面,可以将秘密计划藏在鞋垫下面。

**藏在书本里**

找一本你再也不想阅读的旧书,书不能太薄,前后约有三十页左右。在书本的中间用小刀掏出一个四方的孔洞。

最好用剪刀,但千万要小心。

这样就做成了一个秘密藏物处，你可以把东西藏在这里。放在书架上，这本书也不显眼，谁也想不到里面还藏着秘密。

## 藏在别人料想不到的地方

曾经有走私犯将钻石藏在蛀牙里，也有人将它们放在口香糖中，还装着在嚼口香糖呢。

## 藏在圆珠笔中

拿一支笔杆不透明的圆珠笔，将笔芯剪短，一头用胶带纸封住，免得油墨流出来。用胶带纸将笔芯固定在圆珠笔笔杆里，使圆珠笔能照常使用，不引起别人的怀疑。

笔杆中空出来的部分可以用来藏东西，比如藏秘密信件。

### 藏在楼梯里

楼梯也是非常好的藏物点。楼梯下常有一个空间，可以用来堆放杂物。空的地方都用来储藏杂物了吗？有经验的侦探检查这些空间时非常认真，他们会用尺里外好好量一量，用手指敲敲楼板。如果发出空洞的声音，那么很有可能后面

有空隙。如果储藏杂物的地方明显比应有的尺寸小，那么这里肯定有一个隐藏的暗室，或许那里藏着什么东西。

## 藏在口香糖的包装盒中

口香糖的包装盒用来藏秘密信件，非常便于传递。从一盒口香糖中取出一块口香糖，小心地将包装纸抽出，再用锡纸将秘密信件包裹好。将这块特殊的“口香糖”重新放到盒子中去。如果要转交秘密信件，就给那个侦探同行递上一块“口香糖”。

注意：得把藏有秘密信件的口香糖一直放在一盒口香糖的最上面，以免弄错。

小虎队盟友破案成绩卡

# 来自亡者的信件

第四只小虎

________________________

（你的名字）

你总计解了……

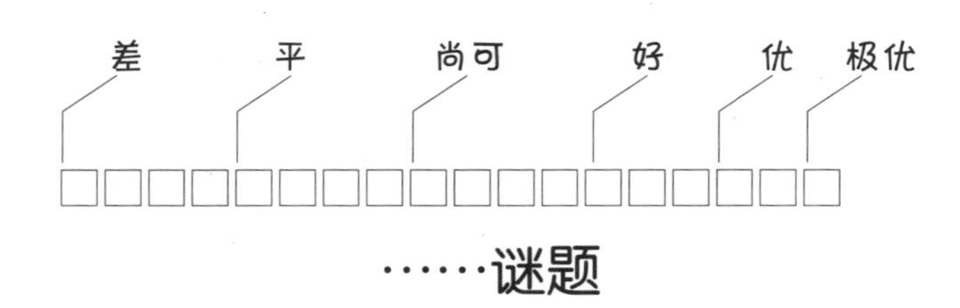


……谜题

[签名认证]

碧吉　路克　帕特里克

# 作者

**名:**托马斯　　**姓:**布热齐纳

**生日:**1月 30日　　**头发颜色:**棕色

**眼睛颜色:**棕色　　**特征:**大髭须

**我喜欢:**

**饮食:**中式米饭和意大利面条

**饮料:**所有一切酸的和彩色的饮品

**颜色:**红色

**动物:**我的狗——大菲

**音乐:**抑扬顿挫

**课程:**休假

**业余爱好:**收集钟表,喜欢拍一些疯狂的照片

**我讨厌:**无聊透顶的人、牛皮大王、蠢货

**我梦想的职业:**已成为现实

**我最大的愿望:**做一次月球旅行

托马斯·布热齐纳

图字：11－2006－76 号

图书在版编目（CIP）数据

来自亡者的信件/[奥]托马斯·布热齐纳著；葛放译. —杭州：浙江少年儿童出版社，2007.1(2010.1 重印)
（超级成长版冒险小虎队）
ISBN 978-7-5342-4236-6

Ⅰ.来… Ⅱ.①托…②葛… Ⅲ.儿童文学-侦探小说-奥地利-现代 Ⅳ.I521.84

中国版本图书馆 CIP 数据核字(2006)第 138573 号

Author: Thomas Brezina Title: Der Schatz des lieben Augustin Cover-illustrations and inside-illustrations: Werner Heymann und Rolf Bunse

www.schneiderbuch.de www.thomasbrezina.com
Chinese language edition arranged through HERCULES Business & Culture Development GmbH, Germany


策 划 人 袁丽娟 责任编辑 陈业欣 美术编辑 赵 洋
装帧设计 裤 兜 解密制作技术 阙 云

超级成长版冒险小虎队

来自亡者的信件

[奥地利] 托马斯·布热齐纳 著
维尔纳·埃曼 罗尔夫·布恩斯 插图
葛 放 译

浙江少年儿童出版社出版发行
（杭州市天目山路 40 号）
浙江新华数码印务有限公司印刷 全国各地新华书店经销
开本 787×1092 1/32 环扉 1 插页 1 印张 7.25 字数 74000 印数 440541－450565
2007 年 1 月第 1 版 2010 年 1 月第 22 次印刷

ISBN 978—7—5342—4236—6 定 价：12.80 元
（如有印装质量问题，影响阅读，请与购买书店联系调换）

# 小虎工具房

欢迎你来到小虎工具房。这里有《夜访"鬼屋"》侦破行动必需的破案小工具。

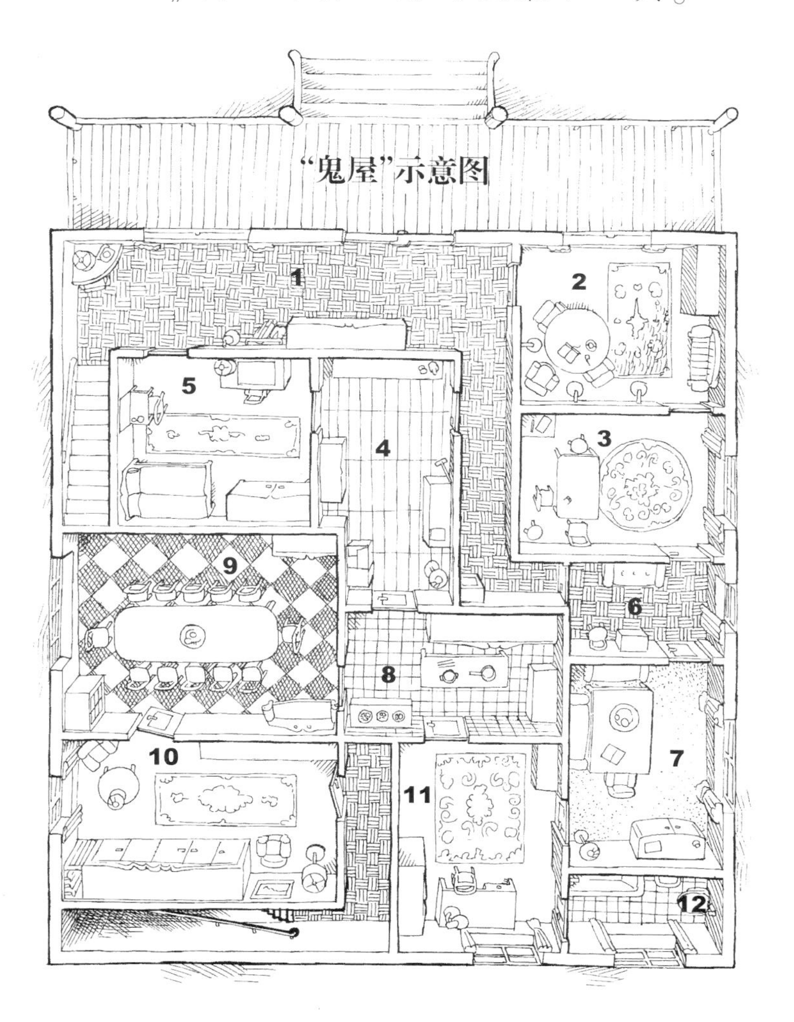